3. 00

3. 00

Avec les hommages
du
Conseil des Arts du Canada

With the compliments
of the
Canada Council

HAUTS FAITS

du

CANADA FRANÇAIS

DU MÊME AUTEUR

Relations des Voyageurs français en Nouvelle-France aux XVIIᵉ siècle. Thèse de doctorat. Paris, Presses universitaires de France, 1923. Epuisé.

Pierre Boucher. Prix du concours d'histoire du Canada. Québec, Ls-A. Proulx, Imprimeur du Roi, 1927. Epuisé.

En feuilletant nos Ecrivains. Montréal, Librairie d'Action canadienne-française, 1929. Epuisé. (Couronné par l'Académie française.)

Sur les pas de nos Littérateurs. Montréal, Librairie d'Action canadienne-française, 1933. Epuisé.

Les Lettres Canadiennes d'Autrefois. Editions de l'Université d'Ottawa. Ouvrage en neuf volumes :

Tome I.	*Phase bilingue.* — 1939.	
" II.	*Phase française.* — 1940.	
" III.	*Phase canadienne.* — 1942.	
" IV.	*Phase préromantique.* — 1944.	
" V.	*Octave Crémazie, précurseur du Romantisme canadien-français.* — 1947.	
" VI.	*La Querelle des Humanistes canadiens au XIXᵉ siècle.* — 1949.	
" VII.	*La Bataille romantique au Canada français.* — 1952.	
" VIII.	*Littérateurs et Moralistes du Canada français d'autrefois.* — 1954.	
" IX.	*La critique littéraire dans le Canada français d'autrefois.* — 1958. Epuisé.	

Tradition du Québec. En collaboration avec Watson Kirkconnell. Montréal, Editions Lumen, 1946. Epuisé.

Origines littéraires du Canada Français. Editions de l'Université d'Ottawa, 1951.

Beaux Textes des Lettres françaises et canadiennes-françaises. Avec notes explicatives. Ottawa, Editions « l'Eclair », 1958. Epuisé.

SÉRAPHIN MARION

de la Société Royale du Canada et des "Dix"

HAUTS FAITS

du

CANADA FRANÇAIS

relevés et commentés par des Anglophones

Éditions de l'Université d'Ottawa

Ottawa, Canada

1972

À
Mᵉ ROGER-N. SÉGUIN,
SM, CR, BA, LLL, LLD,
président
du Bureau des Gouverneurs de
l'Université d'Ottawa,
ancien président
de l'Association canadienne-française
d'Éducation de l'Ontario.

———————

En inscrivant votre nom au frontispice de ce livre, l'auteur désire vous exprimer sa fierté et sa joie d'avoir autrefois, sous votre conduite autorisée et sûre, combattu pour défendre et accroître l'héritage français en Ontario.

Remerciements

Sans un concours de circonstances favorables et l'appui d'amis dévoués, le présent ouvrage n'eût probablement pas vu le jour.

Il convient donc d'inscrire au frontispice de ce livre les noms de tous ceux dont la collaboration effective et bénévole nous fut précieuse à plus d'un titre.

À tout seigneur tout honneur.

Nous tenons d'abord à exprimer notre gratitude à maître Roger-N. Séguin, S.M., C.R., président du bureau des gouverneurs de l'Université d'Ottawa.

Il y a huit ans, celui qui était alors président de l'Association canadienne-française d'Éducation en Ontario nous pria de rédiger, pour cette société, un historique des écoles franco-ontariennes. À son insu sans doute, il mit ainsi en branle le projet d'un ouvrage sur les *Hauts Faits du Canada français*. Projet qui aujourd'hui même se métamorphose en une vivante réalité.

Ultérieurement Me Séguin connut ce projet ; tout de suite il eut à cœur d'en assurer la réalisation. Sans plus tarder, il en toucha un mot au T.R.P. Guindon, O.M.I.

Avec sa bienveillance coutumière, le recteur et vice-chancelier de l'Université d'Ottawa indiqua à son interlocuteur la voie à suivre pour mener à bonne fin l'entreprise. Et c'est ainsi que le manuscrit de l'auteur fut bientôt remis au directeur des Éditions de l'Université d'Ottawa : le Père Léopold Lanctôt, O.M.I.

Nous devons de vifs remerciements au Père Lanctôt. Pourquoi ne pas profiter de l'occasion qui nous est offerte pour lui dire combien nous apprécions le très important travail qu'il accomplit à l'Université depuis 1947. Car depuis déjà vingt-cinq ans, il a la haute main dans les ouvrages publiés sous les auspices de l'Université.

Depuis un quart de siècle, il est toujours à l'œuvre et trop souvent à l'épreuve. À d'autres l'*honor* de tant de réussites ; à lui l'*onus* de tâches difficiles et ingrates.

En 1947, trois ouvrages ont paru aux Éditions de l'Université d'Ottawa ; en cette année 1972, vingt-cinq ouvrages sont en chantier. Deux chiffres éloquents dans leur laconisme ! Ils décrivent avec précision la courbe ascensionnelle que l'un des rouages les plus importants de l'Université d'Ottawa a connue de 1947 à 1972.

Que le Père Lanctôt veuille bien trouver ici l'expression de notre sincère admiration et de notre gratitude émue.

Comme le Père Lanctôt, M. Maurice Chagnon, vice-recteur de l'Université d'Ottawa, lut le manuscrit et le revêtit, lui aussi, de sa haute approbation. À lui aussi, nous tenons à exprimer un cordial merci.

Lorsque le présent ouvrage était sur le chantier, nous avons reçu un puissant encouragement de l'Institut Canadien-Français d'Ottawa.

Dès l'hiver de 1970, M. Henri Laperrière, président de l'Institut, ainsi que son secrétaire, M. Albert Faucher, invitèrent l'auteur à donner, sous les auspices de cette institution plus que centenaire, une série de cinq conférences sur l'histoire du Canada français. À la demande de la majeure partie d'une centaine d'auditeurs, cette initiative se prolongea pendant les hivers de 1971 et de 1972.

Que de fois, à l'issue de ces réunions tenues dans le salon de l'Institut, on manifesta aimablement à l'auteur le désir de lire à tête reposée, dans la paix du foyer, ces conférences que l'on venait d'entendre, surtout ces citations rédigées par des Anglophones et dont quelques-unes, affirmait-on, méritaient une étude approfondie.

Le conférencier se félicite de pouvoir maintenant offrir, sous forme d'un volume portatif, le texte même de la majeure partie des propos tenus aux fidèles auditeurs et auditrices de l'Institut. Ainsi sont comblés des vœux maintes fois formulés qui nous honorent infiniment.

Brillant et dynamique directeur du Centre de recherche en civilisation canadienne-française de l'Université d'Ottawa, M. Paul Wyczynski s'est acquis, au cours de la dernière décennie, dans les milieux universitaires du Canada et de l'Europe, une réputation dont il a lieu d'être fier. Il nous a fait un somptueux cadeau en acceptant de lancer notre ouvrage. Nous avons l'agréable devoir de l'en remercier du fond du cœur.

Un sincère remerciement va aussi à M. Paul Dumas, archiviste de l'Université d'Ottawa. Nous avons récemment cédé nos papiers, documents et manuscrits à l'Université d'Ottawa. C'est M. Dumas qui, le premier, nous invita à faire cette cession.

En outre, il a montré un vif intérêt pour notre étude. Lui et ses subalternes n'ont rien négligé pour prévenir là-dessus nos moindres désirs. Il convient de reconnaître son aimable bienveillance à notre endroit.

M. Pierre Bance, autrefois rédacteur au ministère de la Défense nationale à Ottawa, a bien voulu nous aider dans la correction des épreuves en placard et en pages. À lui aussi vont nos remerciements empressés.

Merci également à madame Claire Brunet qui a dactylographié avec soin notre manuscrit.

* * *

Avant de gagner la haute mer, bon nombre de pêcheurs bretons placent, à l'avant de leur barque, l'image protectrice qui doit leur porter bonheur.

Cet ouvrage, frêle embarcation, devra affronter la haute mer de la critique et subir les vicissitudes de la fortune littéraire.

Je ne doute nullement qu'elle n'arrive à bon port, placée comme elle l'est sous la tutelle de mon *Alma Mater* : l'Université d'Ottawa.

S. M.

Le régime français

Réalisations du régime français

Le premier et le plus grand service rendu au pays tout entier par le Canada français, c'est d'avoir généreusement répandu sur notre sol le sang de martyrs et d'avoir ainsi jeté, dans la partie septentrionale du nouveau monde, les fondements d'un christianisme authentique et sublime. Il convient d'évoquer ici, sur cette page liminaire, l'héroïsme des martyrs canadiens : les Brébeuf, les Lalemant, les Garnier, les Jogues et leurs compagnons. Comment ne pas joindre notre voix à celles de presque tous les historiens anglo-protestants, canadiens comme américains, qui se sont penchés sur les origines du Canada français et n'ont pas manqué d'être profondément émus par la lecture de l'épopée — car c'en est une — des missionnaires jésuites en Nouvelle-France.

Là-dessus l'historien J.B. Brebner[1] a écrit : « History affords few nobler passages than those provided by the fervor, the endurance and the martyrdoms of the seventeenth century Canadian Jesuit Fathers. »

Francis Parkman[2], grand historien américain, a consigné noir sur blanc ce que voici : « The Jesuit Fathers buried themselves in deserts facing death with the courage of heroes and enduring torments with the constancy of martyrs. » Puis il conclut par une phrase haute en couleur, frappée en médaille, qui devrait être insérée dans toutes nos anthologies : « Their virtues shine amidst the rubbish of error, like diamonds and gold in the gravel of the torrent. »

Le professeur Lower[3] a magnifiquement orchestré ce grand thème :

[1] *Canada*, 1960, p. 33.
[2] *The Romance of Canadian History*, Toronto, 1902, p. 66.
[3] *Canadians in the Making*, Toronto, 1958, p. 24.

> Here was heroism, stark, fearless heroism, heroism purged of
> all the dross of wordliness [...] Latimer and Ridney, we English
> think of, Hampden, Florence Nightingale, David Livingstone and
> the long roll of secular heroes : we have nothing that shines
> more brightly than do names of Brébeuf and Lallemand [...]
> Here at the very base of French Canada's story lies that firm
> foundation, saints of the Lord ! Could there be a firmer ?

Des héros et des saints : tels furent bien quelques-uns
de nos ancêtres. Sur le plan naturel, bon nombre d'entre
eux se révélèrent de courageux découvreurs et colonisateurs,
de grands guerriers, des conquérants, des preux, des pala-
dins des temps modernes qui, au cours de leurs randonnées
aux quatre coins de l'Amérique, s'étaient forgé une âme
d'un exceptionnel métal.

Ces pionniers de la civilisation durent faire face à des
ennemis presque toujours supérieurs à eux quant au nombre : poignée de Français contre les hordes indiennes, les
forces militaires terrestres des Américains, les « habits rouges » et l'armée de mer des Anglais.

Ainsi ils gagnèrent peu de batailles. Mais ils s'immor-
talisèrent dans quelques victoires et aussi dans quelques
défaites plus glorieuses que des victoires. Exemples ? À
Carillon, à l'extrémité du lac Champlain, en 1758, alors
que Montcalm et ses 3.500 combattants vainquirent Aber-
cromby et ses 15.400 Anglo-Américains. En 1660, Dollard
des Ormeaux et ses 22 défenseurs du fortin improvisé, au
pied du Long-Sault, firent face à 800 Onnontagués. Tous les
assiégés périrent, mais leur mort sauva la patrie naissante.

Là-dessus W.B. Munro [4] a écrit très sagement :

> Historians of New France have been at pains to explain why
> the colony ultimately succumbed to the combined attacks of
> New England by land and of Old England by sea. For a full

---

[4] *Crusaders of New France*, p. 14.

century New France had as its next-door neighbor a group of
English colonies whose combined population outnumbered her
own at a ratio of about 15 to 1 [...] the marvel is not that
French dominion in America finally came to an end but that it
managed to endure so long.

Sur le même sujet, le professeur Arthur Lower [5] arrive à
une conclusion qui ne manque pas d'originalité :

> In comparison with the wealth and the number of inhabitants
> of the English colonies, the accomplishments of the French may
> seem small. That is not the comparison French Canadians have
> been accustomed to make ; they have thought of the *inequalities*
> they faced and of the valour with which they faced them. To
> whom, they might have asked, has history given the glory of
> Thermopylae, to the Persians or to the Greeks ?

Et pourtant, avec cette poignée de soldats, les Français
au XVIIIe siècle ont posé, en Amérique du Nord, les fondements d'un immense empire.

Ici encore l'historien Arthur Lower [6] a parlé d'or :

> It is no wonder [...] that the French in America were filled
> with a sense of magnificent accomplishment. As the seventeenth
> century drew to a close, they could contemplate a colony
> stretching along the St. Lawrence for a couple of hundred miles
> and other, though smaller settlements in Acadia, Cape Breton,
> Isle of St. Jean and Terre-Neuve. They had captured all the
> English posts in Hudson's Bay and had worsted the English in
> fair fight. Later on, Englishmen were to boast that one English-
> man was worth three Frenchmen, but to judge from the en-
> counters in America during the seventeenth century [...] at
> that period one Frenchman was easily worth three Englishmen.
> When that Frenchman was Lemoyne d'Iberville, he was worth
> whole garrisons of Englishmen, especially if they happened to
> be Hudson's Bay men.

A.L. Burt [7], professeur d'histoire à l'Université du Min-
nesota, a rappelé, lui aussi, le courage et la vaillance de

---

[5] *Canadians in the Making*, p. 26.
[6] *Ibid.*, p. 25.
[7] *A Short History of Canada for Americans*, Minneapolis, 1944,
p. 34.

tous ces Français de la Nouvelle-France, bâtisseurs d'un immense empire au sein des solitudes inviolées du nouveau monde :

> French place names appear scattered all over the map of the United States between the Alleghany Mountains and the Rockies. These names such as Detroit, St. Louis, Vincennes and Louisiana are reminders that the French Empire once covered the greater part of the continent.

Et Donald Creighton [8], autrefois professeur en chef d'histoire à l'Université de Toronto, n'a pu s'empêcher de noter que cet énorme empire s'étendait « from Newfoundland and Acadia to beyond Lake Superior and from Hudson Bay to the Gulf of Mexico ».

On me permettra ici d'ouvrir une parenthèse et de contraster la richesse de l'histoire américaine ou canadienne-française avec la pauvreté, apparente tout au moins, de l'histoire canadienne-anglaise. Le professeur Lower [9] s'en est bien aperçu :

> Americans have their Indian fighters, their revolutionary heroes, their Civil War giants, their Washington and Lincolns ; French Canada has its martyrs' role, than which none was more impressive, its heroic women and all the long tale of resistance of the few to the many in the last bloody act of the French drama in America. [...] But English Canadians [...] have to take refuge in a minor military man or two, some politicians of doubtful virtue or Laura Secord and her cow.

« The resistance of the few to the many » : on a bien lu cette synthèse — si éloquente dans son laconisme — de l'épopée des Français au Canada avant 1760. Même Donald Creighton [10], en présence d'un pareil spectacle, ne peut dissimuler son admiration :

---

[8] *The Story of Canada*, Toronto, 1959, p. 46.
[9] *Canada, Nation and Neighbour*, Toronto, 1952, p. 90.
[10] *The Story of Canada*, p. 50.

> When in 1699 the incredible and ubiquitous d'Iberville had explored the lower Mississippi [. . .] their island empire, based on the continent's two greatest river systems, extended all the way from the Gulf of St. Lawrence to the Gulf of Mexico. This was the highest mark of French enterprise in North America. [. . .] New France had given a good account of herself.

Cette magnifique réalisation d'un empire français en Amérique du Nord se comprend quand on se souvient de la place de premier plan que la France occupait alors dans le monde.

*   *   *

La gloire de la France était alors à son zénith. Ici écoutons Arthur Lower [11] :

> To English Canadians immersed in their own rich heritage, it rarely occurs to reflect that their French fellow citizens brought with them the proudest and most distinguished tradition of Europe. [. . .] The foundations of French Canada were laid in the seventeenth century, at the proudest period of French history. It was *la grande nation* under its *roi-soleil* Louis XIV. Every French-speaking Canadian retains these racial memories [. . .] He is a citizen of no mean city, the scion of the proudest culture and the greatest state in the world.

En raison de son immensité même et d'une pénurie d'hommes, de vivres et d'argent, cet empire s'effondra.

Mais, comme l'affirme avec pertinence et opportunité, un autre historien anglo-protestant E.C. Woodley [12], « The lilies have faded, but the fragrance of brave deeds still remains. » En effet, dans le Canada d'aujourd'hui, ce parfum des lis subsiste encore.

---

[11] *Canadians in the Making*, p. 28 ; *Canada, Nation and Neighbour*, p. 47.
[12] *Canada's Romantic Heritage*, Toronto, 1940, p. 265.

Le régime anglais

Conquête ou cession?

Selon un vieux dicton anglo-saxon, l'Angleterre, au cours de la plupart de ses guerres, perd toutes ses batailles sauf la dernière. Dicton qui ne s'applique pas au Canada français de 1759-1760. Elle a perdu, au printemps de 1760, à Sainte-Foy, la dernière bataille. C'est M. de Lévis qui l'emporta alors sur le général Murray. En 1763, la France céda officiellement le Canada à l'Angleterre.

Voilà pourquoi plusieurs historiens substituent à « conquête du Canada » l'expression : « cession du Canada ».

Conquête, cession : c'est bonnet blanc et blanc bonnet pour les vaincus.

I. — La conquête,
malheur du Canada français

Le plus grand malheur du Canada français n'est pas
d'avoir été cédé à l'Angleterre. Sa plus grande infortune,
c'est que cette cession l'a acheminé vers une situation pé-
nible et, à la longue, intolérable : elle a peu à peu fait
du peuple canadien-français une minorité.

Peuple minoritaire. C'est-à-dire peuple qui n'est pas maître de ses destinées, qui doit vivre sous la coupe d'une
majorité et baisser pavillon devant elle chaque fois qu'une
crise grave secoue le pays.

Il y a plus.

Si nous prêtons l'oreille à certains observateurs super-
ficiels, nous, Canadiens français, serions dépourvus d'esprit
pratique et incapables de conquérir notre place dans le
monde du commerce, de l'industrie et des sciences appli-
quées.

Pourtant nos pères, sous le régime français, ont décou-
vert, exploré et colonisé l'Amérique du Nord. « Une poignée de Français a, pendant un siècle et demi, disputé
l'empire des fourrures à des milliers de trafiquants anglo-
américains et jeté les fondements d'une industrie et d'un
commerce considérable... Au moment de la Cession, Français et Canadiens commerçaient avec les Indiens de l'Extrême Nord, de l'Ouest et du Sud, avec la France et les
Antilles... Ils avaient entrepris l'exploitation des forêts,
de la pêche, celle des mines de fer et de charbon de l'Île-
Royale, aujourd'hui Cap-Breton, des ressources minières de
la Mauricie, du cuivre du lac Supérieur. Comment se fait-il
que ces hardis explorateurs, ces audacieux négociants, ces
artisans se soient mués, au lendemain de 1760, en paisibles

cultivateurs et modestes ouvriers et serviteurs ? C'est que toutes les avenues économiques leur ont été fermées brutalement par le rétrécissement géographique de la colonie avant l'Acte de Québec, par la mainmise des nouveaux venus sur les richesses du pays et sur ses relations commerciales avec le reste de l'univers. » Telle est la thèse élaborée et soutenue par le *Conseil de la Vie française* en 1964.

Entre autres historiens anglophones, Stanley B. Ryerson [1] a patronné cette thèse :

> Not only did English merchants take over from the French the main source of capital accumulation, the fur trade and the land monopoly ; but enjoying in addition the advantages of business connections with English capital, they were to thrive on the investment of large portions of that capital in the timber trade, canals and railways of the colony.

Et le même auteur d'ajouter :

> It was the Frobishers, McGills, Molsons, McTavishes who took over the fur trade and then, in the period of the Napoleonic wars, entered the timber and ship-building trades.

Dans un plus récent ouvrage, puisqu'il fut publié en 1968, Stanley B. Ryerson [2] apporte de nouvelles précisions sur l'intéressant sujet :

> The state structure brought into being by the Conquest placed political power in the hands of British military administrators ; it made possible the assumption of economic supremacy by British mercantile capitalists who, within a quarter century of Wolfe's Victory, took possession of the fur trade, fisheries and timber trade that French entrepreneurs had built up under the old regime.

Ces familles de capitalistes anglophones donneraient bientôt naissance au « Family Compact » dans le Haut-Canada et à la « Clique du Château » dans le Bas-Canada.

---

[1] *French Canada*, Toronto, 1943, p. 133.
[2] *Unequal Union*, 1968, p. 17.

Dès 1838, lord Durham, dans son rapport, a brossé avec fidélité le tableau de cette « Clique du Château ». Stanley B. Ryerson [3] n'a pas manqué de reproduire une partie de ce tableau :

> The circumstances of the early colonial administration excluded the native Canadian from power and vested all offices of trust and emolument in the hands of strangers of English origin. [...] The Conquest gave English landlord-merchants in Lower Canada the position of a ruling class; a number of other factors gave them additional advantages.

Voilà bien les origines de la faiblesse économique et financière du Canada français d'hier et d'aujourd'hui.

Une autre cause du même malheur s'étale dans une autre partie du rapport de lord Durham. Cette fois c'est Mason Wade [4] qui a monté ce paragraphe en épingle :

> The existence of a highly educated class in a closed society created a great problem, since careers in the army, navy and civil service were largely barred to French Canadians and all must become priests, lawyers, notaries or doctors though these professions are greatly overstocked.

Ajoutons une troisième cause de la faiblesse économique du Canada français. Cause qui provient directement de la conquête. Cause d'ordre général et permanent. Nous pouvons la cueillir dans un discours que, vers la fin de l'autre siècle, prononça à Londres nul autre que sir Wilfrid Laurier. Son secrétaire et biographe, O.D. Skelton [5], n'a pas manqué de la soumettre à notre considération :

> It cannot be denied that the French Canadians, in the preservation of their national existence, have absorbed a fund of activity, energy and force, which the rival races, free from this preoccupation, have utilized for their material advancement.

---

[3] *1837 — Birth of Canadian Democracy*, Toronto, 1937, p. 54.
[4] *The French Canadians*, Toronto, 1955, p. 199.
[5] *Life and Letters of Sir Wilfrid Laurier*, Toronto, 1921, vol. I, p. 73.

On ne saurait mieux dire : pendant que nos pères employaient le plus clair de leur temps et de leurs énergies à survivre, sur le plan linguistique et culturel, d'autres, libres de pareils soucis, se consacraient à l'accroissement de leurs richesses matérielles.

Bref, toute conquête équivaut à la mise en tutelle ou à l'esclavage des conquis. Voilà pourquoi elle est, pour les conquis, un mal.

*   *   *

Le pire méfait de la conquête, c'est d'avoir mis fin aux progrès de l'éducation, sous le régime français, et d'avoir inauguré une période de stagnation, d'immobilisation et de régression. Période qui durera près d'un siècle : les fondements permanents du système scolaire du Québec ne pourront être posés que vers 1850.

Car, ne l'oublions jamais, nos pères, sous le régime français, s'étaient octroyé un système scolaire qui, à tout prendre, leur faisait honneur.

> It is sometimes asserted [a écrit D.M. Le Bourdais [6]] that the Canadians were an ignorant lot, but that is not correct. While the educational range of even the best educated was somewhat narrow, the proportion of illiteracy was probably no greater than in any country at the time.

J.M.S. Careless [7] partage cette opinion :

> The ignorance among the masses was no worse than in many countries of the age. And certainly the Church laboured hard to reduce it. Religious orders sought to establish schools as well as missions and hospitals, and several famous schools were founded that still endure.

---

[6] *Nation of the North*, London, 1953, p. 5.
[7] *Canada*, Toronto, 1963, p. 66.

L'auteur retrace ensuite l'admirable figure de Marguerite Bourgeoys et de Mère Marie-de-l'Incarnation.

Arthur Dorland [8] rend un hommage mérité à la célèbre Ursuline ainsi qu'à la fondatrice séculière du monastère des Ursulines, Madame de La Peltrie :

> In 1639, Madame de La Peltrie came herself to help found a convent school under the Ursuline order for the education of girls. This famous school still occupies the same site in the heart of the city of Quebec — an enduring monument of the work of the Church on behalf of education.

Des éloges aussi sincères viennent spontanément sous la plume de F.A. Walker [9] :

> Just as it was the clergy who sponsored education in France prior to the Revolution, so too did the clergy foster elementary and secondary education in New France. When one considers the sparse population and the economic difficulties of the colony, the amount of education is surprising. There were at least 30 primary schools for boys and girls in 1725 for some 25,000 people dispersed into 70 parishes. The Jesuits established a college in Quebec in 1635 and, in 1668, a "Little Seminary" was opened in Quebec.

La conquête ferma le Collège des Jésuites et supprima, comme on le pense bien, les dotations du roi de France aux communautés enseignantes et au clergé.

Avec l'exode d'une partie de la classe dirigeante du Canada français et la rentrée en France d'une élite d'autant plus précieuse qu'elle était clairsemée, les « habitants » laissés à eux-mêmes pouvaient-ils s'empêcher de broyer du noir ?

En cette triste conjoncture, ils refusèrent néanmoins de jeter le manche après la cognée. Dès 1770 — donc seule-

---

[8] *Our Canada*, Toronto, 1949, p. 51.
[9] *Catholic Education and Politics in Upper Canada*, 1964, p. 15.

ment dix ans après la conquête — une vingtaine de Canadiens signent une pétition où est énoncée, entre autres vérités, celle-ci : les professeurs nécessaires pour enseigner « les Langues, les Sciences de philosophie, de mathématiques, du génie, de la navigation, du droit civil [...] se font rares ».

Privés de spécialistes, ces pauvres gens voudraient en importer, de France au Canada, « pour une fois seulement ».

« Pour une fois seulement ! » Quatre mots qui recèlent une infinie tristesse ! Demande raisonnable si jamais il en fut ! Demande empreinte de modération, d'une candeur qui eût dû désarmer les autorités impériales. Et pourtant elles opposèrent leur veto à la requête, tellement grande était, à Londres, la crainte de voir se renouer des liens intellectuels ou autres entre la France et les Français du Canada.

L'absence de ces professeurs spécialisés entravera, pendant longtemps encore, l'essor de l'enseignement scientifique au Canada français.

En 1801, la situation empira avec la création de l'*Institution royale pour l'avancement des Sciences*. Madame Helen Taft Manning [10] en donne la raison :

> In 1801, the English party, led by Bishop Jacob Mountain, pushed through the legislature an act creating a *Royal Institute of Education* which was expected to direct and subsidize elementary and secondary schools all over the province. [...] Since the presiding genius of the new Institute was the Anglican bishop himself, the Catholic clergy refused to serve on its governing board and the law remained a dead letter.

T.H. Raddall [11] a, lui aussi, glosé là-dessus :

> The Anglican bishop Mountain, with amazing stupidity, insisted that schools with English Protestant teachers should be

---

[10] *The Revolt of French Canada*, Toronto, 1962, p. 19.
[11] *The Path of Destiny*, Toronto, 1957, p. 165.

set up in every parish so that the habitant children could be led
"to embrace by degrees the Protestant Religion."

Amazing stupidity : l'historien ne mâche pas la vérité au
lord-évêque de Québec. On l'excuse quand on considère la
situation démographique du Québec à cette époque.

Les dix-neuf vingtièmes de la population étaient catholiques ; l'autre vingtième, protestant. Les anglicans de la
province composaient un quart de tous les protestants qui
y résidaient.

Un quart de un vingtième donne un quatre-vingtième.
Donc la confession anglicane ne représentait que la quatre-vingtième partie de la population. Néanmoins, par l'entremise du lord-évêque de Québec, cette infime minorité voulait tenir les principales commandes de l'instruction primaire dans la province.

L'Institution royale : initiative que déclencha un sanhédrin de francophobes afin d'avoir bien en mains le premier
ministère de l'éducation du Québec, clef de voûte de la
survivance française au Canada.

Il ne faut pas être grand sorcier pour s'apercevoir que
l'enjeu était de taille.

Les Plessis, les Lartigue, les Panet, tous ces évêques
defensores civitatis, tous défenseurs de la cité canadienne-française, ont éloigné leurs ouailles des sirènes anglo-protestantes de l'Institution royale. Foin de l'instruction s'il
fallait l'acquérir à ce prix !

Voit-on ces évêques acceptant, dans le domaine de l'éducation un poste subalterne et se plaçant, de gaieté de cœur,
sous la tutelle d'un lord-évêque anglican ? Lui qui se
croyait sans doute choisi par un décret nominatif de la
Providence pour tirer les Canadiens français de leur état
d'ignorance et les hisser au rang d'anglophones protestants.

Il y aurait eu alors, dans le Canada français, beaucoup plus de servilité que de servitude.

Le piquant de l'affaire, c'est que plusieurs historiens anglo-protestants approuvent nos évêques d'avoir fait la sourde oreille à tant d'invitations intéressées.

Sur ce sujet, l'un d'entre eux parle d'or.

Après avoir constaté l'échec de l'Institution royale, le professeur A. L. Burt [12] — car c'est de lui qu'il s'agit — écrit tout uniment :

> A new system had to be worked out and this took many years and much trouble. Not until after the middle of the century was the present plan finally established with its free schooling in tax-supported schools run under the rather close direction of the provincial government [...] Lower Canada was the most backward of all. For this state of affairs in French Canada, the English-speaking minority was chiefly responsible. They managed to get a law passed providing for a public educational system that alarmed the religious and racial sensibilities of the great majority of the people. A scheme rather than a system, it was designed to force the English language down their throat and was headed by an Englishman — the Protestant bishop of Quebec. It was a tragedy that public education was first presented to the French Canadians in this suspicious guise, and there was another tragedy a few years later when the racial minority, who controlled the government, blocked the efforts of the Assembly to establish public schools under local control. [...] Many Protestants in Canada, not being familiar with these facts, have blamed the Roman Catholic clergy for trying to keep their people ignorant.

Le professeur Burt approuve donc l'épiscopat québécois d'avoir refusé la protection d'un lord-évêque anglican, astre central de l'Institution royale, autour duquel gravitaient des satellites, eux aussi anticatholiques et antifrançais. Cette

---

[12] *A Short History of Canada for Americans,* Minneapolis, 1944, p. 143.

protection se fût avérée non pas le bouclier qui défend le guerrier, mais le baume qui préserve le cadavre.

* * *

Les Canadiens français ont déjà commencé à rattraper le temps perdu. Écoutons là-dessus Edmund Wilson [13] :

> In the defunct *Montreal Light, Heat and Power Company*, hardly a French Canadian occupied a position of real importance... Then came state ownership with the creation of Hydro-Quebec. It was possible, by some miracle or other, to reorganize the personnel, to redistribute the work and to assign the responsibilities, and all this was accomplished with ability, the major part of which was French Canadian. Did this result in a catastrophe ? On the contrary.

Ce complexe d'infériorité, dans le domaine économique, semble sur le point de disparaître. Tel est aussi l'avis de Gerald Clark [14].

À son sentiment, la révolution tranquille du Québec, révolution sociale et économique, a produit une nouvelle élite de jeunes spécialistes :

> It is doubtful if any capital in the world [...] ever boasted in proportion to population a greater collection of bright and talented young people.

Puis Gerald Clark, comme Edmund Wilson, admire Hydro-Québec dont la plus récente réalisation étonne :

> The billion-dollar hydroelectric project on the Manicouagan River, where six thousand men are now at work in the wilderness [en 1965] on the biggest construction task in America. When completed [...] it will feature the highest multiple-arch dam in the world and give Quebec almost three times as much hydro power as Ontario [...] The accomplishment of French-Canadian

---

[13] *O Canada*, New York, 1965, p. 224.
[14] *Canada*, pp. 145 à 156.

> engineers who developed a radically new high-tensile cable to carry the power five hundred miles to Montreal, a process now studied by engineers in other parts of the world.

Et Gerald Clark d'entonner la note optimiste que voici :

> The province, once so backward, may find itself with one of the most advanced and realistic systems [of education] in the world.

À n'en pas douter, dans les domaines de la culture, de l'éducation, de la finance et de l'économie politique, une ère nouvelle s'ouvre enfin pour le Québec.

II. — Le régime militaire
1760-1763

On s'est pieusement attendri sur les excellentes relations qui ont existé, au cours du régime militaire, entre les « habits rouges » et les Canadiens. On a même monté en épingle le fait que quelques soldats et officiers britanniques ont alors épousé des Canadiennes aux jolis yeux doux.

Le contraire n'eût-il pas été surprenant ? Après une conquête, le conquérant — s'il est intelligent — se doit de gagner sinon les cœurs, au moins les esprits de ceux qu'il vient d'assujettir à ses lois.

L'intérêt suffit donc à expliquer pareil comportement aimable. Et cet intérêt existait pour les vainqueurs de 1760. Écoutons là-dessus Arthur Dorland [1] :

> This policy [pendant le régime militaire] was not only just and humane but also in the immediate interests of the British. For if a majority of the French Canadians had decided to return to France, as they were permitted to do under the terms of the capitulation, Canada would have been depopulated and become worthless to its new rulers.

En ce mois de novembre 1759, le sort de la Nouvelle-France n'est pas encore fixé. Recroquevillé dans l'enceinte de Québec en ruine, déjà aux prises avec le long et terrible hiver canadien, le général Murray se pose, lui aussi, la question : De quoi demain sera-t-il fait ? Il songe déjà à consolider ses positions. Dans le Canada inclément pendant plus de la moitié de l'année, comment Murray et ses « habits rouges » ne se sentiraient-ils pas démunis et impuissants ? Unis aux Canadiens français, ils peuvent caresser l'espérance de surmonter les obstacles qu'ils devront aborder de front. D'où la nécessité pour eux d'obtenir à tout

---

[1] *Our Canada*, p. 112.

prix, *per fas et nefas,* la collaboration active — ou tout au moins la neutralité bienveillante — des Canadiens.

Dès novembre 1759, Murray écrivit à Amherst une lettre dont le professeur A.L. Burt [2] a souligné l'importance :

> *En bonne politique,* it [le Canada français] should perhaps be destroyed, but there may be reasons why it should remain as it is, a guarantee for the good behaviour of its neighboring colonies.

Désormais cette idée hantera Murray. En 1762, dans une nouvelle lettre à Amherst, il écrit : « The French Canadians may become very useful to us if properly managed. »

Deux ans plus tard (1764), il adressera aux Canadiens des éloges hyperboliques. Il verra en eux « peut-être la race la plus brave et la meilleure du globe ». Avec l'obtention de certains privilèges, ils deviendraient « the most useful and faithful set of men in this American Empire [3] ».

À deux reprises, en parlant des Canadiens, Murray emploie le mot *useful.* Pour lui comme pour ses successeurs, l'*utilité* deviendra la clef de voûte de la politique du conquérant à l'endroit des conquis.

Très intelligent, Murray se gagnera l'affection de ces Canadiens qui rendront — comme il l'a cru dès 1759 et comme il le croit encore cinq ans plus tard — d'inestimables services à l'Angleterre et à sa nouvelle colonie américaine. Il a le sens des réalités canadiennes. Dans le Canada devenu colonie britannique, il aperçoit des dangers réels qu'il veut à tout prix conjurer. Pour parer à ces dangers, il ne dispose, en somme, que d'un moyen vraiment efficace : la collaboration des Canadiens. Il tentera donc de les amadouer parce qu'il a *intérêt* à le faire. Un point, c'est tout. Il adopte donc la politique de l'*intérêt* bien compris. C'est l'*intérêt* — et non pas la générosité — qui est le premier et le principal moteur de ses actes.

---

[2] *The Cambridge History of the British Empire,* vol. 6, p. 150.
[3] *Murray aux lords du commerce,* 29 octobre 1764.

III. — La Proclamation royale de 1763

Au régime militaire inauguré après la bataille des Plaines d'Abraham devait bientôt se substituer un gouvernement civil. De quels principes s'inspirerait ce gouvernement pour administrer le pays ? Ouvrirait-il une ère de tolérance ? C'est ici que la question revêt une importance capitale. Or Londres a alors opté pour l'intolérance et délibérément voulu angliciser et protestantiser ses nouveaux sujets. Ici les témoignages anglophones ne font pas défaut.

C'est Arthur Dorland [1] qui a écrit :

> What to do with Quebec ? [en 1763]. The British Government had a choice of alternative policies. The first of these was a ruthless one — The french-speaking Canadians should be forced to adopt British ways.

C'est cette politique « cruelle » qui tout d'abord prévalut.

B.K. Sandwell [2] abonde dans le sens de Dorland. À ceux qui persistent à croire que, après 1760, les conquérants ont accordé tant de libertés aux conquis, il répond avec pertinence : « The truth is that they [les autorités britanniques] made a very earnest attempt to abolish them [les libertés] during the first five years of British administration. »

O.D. Skelton [3] brode sur le même thème : « The solution first adopted [. . .] was simply to turn New France into another New England, to swamp the inhabitants by immigration from the colonies. »

Londres opta donc d'abord pour la politique de l'intolérance et décida d'angliciser et de protestantiser ses nou-

---

[1] *Our Canada*, p. 113.
[2] *The Canadian Peoples*, 1941, p. 11.
[3] *Life and Letters of Sir Wilfrid Laurier*, vol. I, p. 19.

veaux sujets. Et les mamours du régime militaire ne sau-
raient obnubiler ce projet initial.

Voilà bien le but que l'on s'était fixé en hauts lieux.
Quel moyen prendre pour atteindre ce but ? O.D. Skelton
l'a indiqué plus haut : « to swamp the inhabitants by immigration from the colonies.

Cette politique d'inonder les « habitants » dans le flot
d'une immigration anglophone, en provenance du Sud,
n'était le fruit ni de la hâte, ni de l'inadvertance ; elle se
plaçait aux antipodes de la générosité et de la magnanimité.

Elle subit un retentissant échec.

À ces colons américains du Sud, on offrait des terres à
un prix extrêmement bas. On faisait briller à leurs yeux
l'appât de belles terres canadiennes acquises à titre quasi
gracieux. Mais ceux-ci refusèrent de s'y laisser prendre. Le
rude climat de la vallée du Saint-Laurent a alors milité en
faveur des Français.

Plusieurs historiens anglophones se sont félicités de cet
échec et, entre autres, les professeurs Burt et Coupland.

Le professeur Burt [4] a écrit : « If the policy of 1763 had
been developped and enforced, instead of being abandoned,
it might have driven Canada out of the British Empire
and into the American union. »

Le professeur Reginald Coupland [5] s'est appesanti sur
la même conclusion :

> If British statesmen had treated Canada as Ireland had been
> treated, torn up the Treaty of Paris like the Treaty of Limerick
> and cynically applied the familiar doctrines of religious intoler-

---

[4] *The Old Province of Quebec,* Toronto, 1933, p. 200.
[5] *The Quebec Act,* Oxford, 1925, p. 122.

ance and race ascendancy, the British Government of Canada would surely not have lasted long [...] the incorporation of the Canadians in the British Empire was very recent; they were still uncertain what the change would mean for them; and if they had been convinced that it meant the restriction or suppression of their national life and, above all, of their religion, surely they would not passively have acquiesced in such a fate but, when the time came, they would have risen, seigneur and priest and peasant together, joined force with the "rebel" colonists and for better or for worse escaped with them from British tyranny.

Grâce à la combativité conquérante de Carleton, la Proclamation de 1763 échoua bientôt au pays des lunes éteintes. Onze ans plus tard les autorités métropolitaines lui substituèrent l'Acte de Québec.

Comparé à la Proclamation de 1763, l'Acte de Québec prend figure d'une gigantesque volte-face. Cet Acte de 1774 n'est rien de moins que la répudiation de l'Acte précédent. Donald Creighton [6] l'a proclamé sans ambages :

> The Quebec Act was ths statutory repudiation of the whole policy of the Proclamation of 1763 and the statutory recognition of the enduring vitality and distinctive personality of the colony of the St. Lawrence.

Mieux que quiconque, Stanley B. Ryerson [7] a résumé l'évolution de la politique de Londres, en cette affaire, depuis 1763 jusqu'à 1774 :

> The British policy was from the first based on the assumption that the French nationality, language and religious beliefs would rapidly disappear and be replaced by those of the conquerors. However, the rising of the colonies to the south, and the danger of losing Canada, as well, brought a sharp turn in colonial policy, expressed in the concessions of the Quebec Act in 1774; to isolate the inhabitants of the British from those of the revolted Colonies became the policy of the Government; and the nationality of the French Canadians was therefore cultivated as a means of perpetual and entire separation from their neighbours.

---

[6] *The Story of Canada*, p. 83.
[7] *1837 — Birth of a Canadian Democracy*, p. 53.

IV. — L'Acte de Québec (1774)

L'Acte de Québec, concession magnanime ou intéressée ?

Ouvert avant 1774, le débat se poursuit encore aujourd'hui. Ce n'est pas un débat de petite taille s'il est vrai que l'Acte de Québec constitue pour les Canadiens français, comme le prétend Chester Martin [1], une manière de *Magna Carta,* ou une *Charte sacrée,* comme l'affirme O.D. Skelton [2].

Les articles 5, 6 et 7 de l'Acte décrétaient l'émancipation des catholiques romains, la liberté de leur culte, la propriété de leurs biens et la légale perception de la dîme due au clergé. Et n'allons pas oublier surtout l'abolition du fameux serment du Test établi, dans les îles Britanniques, en 1673, et par lequel tout fonctionnaire déclarait qu'il ne croyait pas au dogme catholique de la transsubstantiation.

Bref, deux thèses ici s'affrontent : la thèse de la générosité et la thèse de l'intérêt.

Plusieurs historiens anglophones soutiennent la première thèse.

A. Wyatt Tilby [3] se félicite que le gouvernement britannique ait décidé, en 1774, d'adopter une politique de générosité. Edgar McInnis [4] a écrit :

« The Quebec Act has been praised, and with considerable justification, as a measure of unprecedented generosity. » George III lui-même, lors de son discours de prorogation, en 1774, eut recours à la même phraséologie : le monarque

---

[1] *Empire and Commonwealth,* Oxford, 1929, p. VIII.
[2] *Life and Letters of Sir Wilfrid Laurier,* tome I, p. 19.
[3] Cité par W.H. Moore dans *The Clash,* p. 18.
[4] *Canada,* New-York, 1960, p. 143.

déclara que l'Acte s'inspirait des principes les plus clairs de justice et d'humanité.

Voilà bien dans l'œuf la thèse de la générosité métropolitaine à l'endroit des Canadiens de 1774 et de leurs descendants. Chester Martin [5] résume la situation en deux phrases : « oppression had been disastrous in Ireland. The effects of lenity were now to be tried in Quebec. »

Ce qui voudrait dire, semble-t-il, que le gouvernement britannique, après la désastreuse expérience irlandaise, avait définitivement renoncé à la rigueur. Désormais la clémence, la mansuétude, l'humanitarisme deviendraient l'alpha et l'omega de sa politique envers ses colonies.

Il faut voir avec quelle sagacité W.P.M. Kennedy [6] établit l'inanité de cette assertion :

> Why a government [...] handed out justice and humanity to the French Canadians [...] while at the same time and in the same parliament they were goading their own flesh and blood into the shambles of civil war.

Ici l'historien fait allusion à la Révolution américaine et aux « actes intolérables » qui l'ont suscitée. Actes qui ne s'harmonisent guère avec l'Acte de Québec.

En outre, si la bienveillance, la mansuétude, la magnanimité devaient alors servir de boussole au gouvernement anglais, comment expliquer, après l'octroi de l'émancipation aux catholiques canadiens, en 1774, le refus de cette même émancipation, pendant plus de cinquante ans après cette date, aux catholiques des îles Britanniques ?

Au cours du siècle dernier, quelques historiens canadiens-français ont patronné la thèse de la générosité anglo-saxonne envers les Français de l'Amérique du Nord. Il n'y

---

[5] *Empire and Commonwealth*, p. 107.
[6] *The Constitution of Canada*, Oxford, 1938, p. 66.

a pas lieu de s'en étonner quand on n'oublie pas que l'un des grands évêques du diocèse de Québec en a favorisé l'éclosion et le développement. En effet, l'abbé Joseph-Octave Plessis, alors curé de Québec, prononça, en juin 1794, l'oraison funèbre de Mgr Briand. Au beau milieu d'un mouvement oratoire, dont nos pères étaient si friands, il lança du haut de la chaire la célèbre apostrophe : *Généreuse Nation* ! L'épithète s'adressait à l'Angleterre. Le mot, solennellement lâché, était promis à un brillant destin.

Généreuse Nation ! L'abbé Plessis ignorait donc tout de l'histoire de l'Irlande. O.D. Skelton a flagellé, une fois pour toutes, ces « English statesmen who for seven hundred years had attempted to make Ireland British, not by justice and generosity but by violence and oppression and had failed ».

Généreuse Nation ! Thomas Chapais, professeur d'histoire du Canada à l'Université Laval, eût pu placer en exergue, à ses ouvrages, l'apostrophe de l'abbé Plessis. À la page 169 du tome premier de son *Cours d'Histoire du Canada*, Thomas Chapais avoue candidement que « cette manière de voir a paru surprendre quelques-uns de [ses] auditeurs ». Aveu significatif ! Il atteste que tous ces auditeurs ne s'étaient pas ralliés à la thèse de la générosité et ne manquèrent pas de le laisser savoir au conférencier.

*   *   *

Comparé au rôle que soutint Carleton, celui de Murray s'avère plutôt modeste. C'est Carleton qui, en somme, est l'auteur de l'Acte de Québec.

Une idée fixe, nous l'avons constaté, avait hanté Murray à partir de l'automne de 1759 ; la même idée hantera Carleton de 1767 à 1774. Pendant son séjour au Canada et même au cours de ses plaidoiries en Angleterre, de 1770 à 1774, Carleton ne pourra se délivrer d'une véritable obsession : la crainte des colonies américaines, de la tempête qui gronde et éclatera en 1775.

Dans la vie des peuples, certaines catastrophes se produisent en raison de la cécité des vigies. La cécité n'a jamais été le péché de Carleton. Il avait l'œil exercé et n'était pas dupe des apparences.

Cinq mois après son arrivée à Québec, c'est-à-dire en février 1767, Carleton a flairé le péril d'une invasion américaine au Canada. Sept ans avant l'adoption de l'Acte de Québec, il a remué ciel et terre pour conjurer un danger qui menaçait l'hégémonie de l'Angleterre en Amérique du Nord.

C'est bien le 15 février 1767 que Carleton écrivit à Gage une lettre dont tous les historiens avertis font état. Le commandant en chef des troupes britanniques en Amérique s'inquiétait de la tournure des événements chez lui et autour de lui. Il demanda donc conseil à Carleton.

L'importance de cette lettre n'a pas échappé à l'attention de W.P.M. Kennedy [7], spécialiste de l'histoire constitutionnelle du Canada :

> As early as 1767 he [Carleton] had begun to relate Canada to the world and to see the strategical position which the province would hold should the southern colonists prove recalcitrant.

Afin de parer au danger de l'invasion, Carleton recommande l'érection d'un fort près de New-York, la construction d'une citadelle à Québec et la réparation des fortifications à Crown-Point qui servirait de trait d'union entre la ville américaine et la ville canadienne. « A masterly conception », s'écrie le professeur Burt. Oui, à n'en pas douter, conception géniale qui, traduite en actes, eût pu

---

[7] *The Constitution of Canada*, p. 54.

enrayer l'avance des troupes américaines, le long du Richelieu, en 1775.

Au cours de l'automne de cette même année, exactement le 25 novembre 1767, Carleton, toujours conscient du grave péril, fait savoir à Shelburne que les « nouveaux sujets de Sa Majesté » disposaient de 18.000 soldats et officiers prêts à combattre les envahisseurs. Puissants effectifs, ajoute Carleton, qui s'étaient bien battus, au cours des campagnes antérieures à la conquête « with as much valor, with more zeal and more military knowledge of America than the regular troops of France that were joined with them ».

Et Victor Coffin [8] d'ajouter, en guise de commentaire : « Easily led, they were by no means timid or spiritless. »

Encore plus catégorique, le professeur Lower [9] a noté que, dès 1767 « Carleton was already preparing for the American Revolution ». Et Carl Wittke [10] rejoint le professeur Lower : « It must not be forgotten that Carleton had for some years seen the American Revolution on the horizon. »

Et quand éclata cette révolution, Carleton vit la réalisation de ce qu'il prévoyait depuis de nombreuses années. Croyons-en Reginald Coupland [11] qui a écrit : « Carleton saw now what years ago he had foreseen : the old colonies in rebellion ; Canada, the strategic key to the now inevitable struggle ; the fate of Canada, perhaps the fate of North America dependent on the attitude of the Canadians. »

D'où la conclusion du professeur Lower [12] : « It was the shadow of the American Revolution that brought forth the

[8] *The Province of Quebec and the American Revolution*, 1896, p. 283.
[9] *Canadians in the Making*, p. 100.
[10] *A History of Canada*, p. 53.
[11] *The Quebec Act*, p. 138.
[12] *From Colony to Nation*, p. 72.

Quebec Act. » Cette conclusion se retrouve chez Stanley B. Ryerson [13] : « The key to the Quebec Act is to be found in the American Revolution. »

*　*　*

Après l'analyse la synthèse. Elle tient en la phrase que voici : c'est l'*utilité* — et non pas la générosité — qui a motivé l'Acte de Québec. Esprits clairs, Murray et Carleton ont vu clair. Rendons hommage à leur intelligence et à leur volonté.

Il serait facile de démontrer que l'Acte de Québec a conservé le Canada à la Couronne britannique dans les crises ou situations difficiles : en 1775, lors de la Révolution américaine ; en 1778, alors que la France déclara la guerre à la Grande-Bretagne et accorda sa collaboration aux États-Unis ; en 1793, au moment où la France révolutionnaire fit la guerre à la Grande-Bretagne ; lors de la guerre américaine en 1812 ; en 1837, au moment de l'insurrection des Patriotes et même en 1867 où fut inaugurée la Confédération.

Ceux qui ne voient que générosité, là où il y a d'abord intérêt, donnent tête baissée dans une fiction oratoire que les faits ne permettent pas de soutenir [14].

---

[13] *French Canada*, p. 29.

[14] Toutes les légendes ont la vie dure. La légende d'une Angleterre généreuse et magnanime, après la conquête du Canada, n'est pas encore — il s'en faut de beaucoup — pulvérisée. Témoin un livre récent où s'étale en toute impudeur le paragraphe que voici : « Actually British rule in Lower Canada, established by Wolfe's victory at Quebec, made little change in the lives of most of the people living there. Not only were they guaranteed full and continued use of their language, laws, customs and religion by the British government, but the early Governors carried out this decision in a spirit that ensured as little disruption as possible of the French way of life of the colony. This was exceedingly generous treatment not only for that time but even for today » (Marcus Van Steen, *Governor Simcoe and his Lady*, Toronto, 1968, p. 160).

« England's difficulties are Ireland's opportunities » : on connaît l'axiome qui se popularisa en Irlande, surtout au temps de Daniel O'Connell. Ce sont aussi les difficultés de l'Angleterre qui, au lendemain de la conquête, servirent magnifiquement et par ricochet la cause du Canada français.

V. — L'Acte de Québec
et l'épiscopat québécois

Avec l'adoption de l'Acte de Québec, Carleton se gagna la bienveillance et la collaboration active de l'épiscopat québécois. Cart Whittke décèle même dans cette nouvelle constitution le germe de l'alliance entre Londres et l'épiscopat québécois, entre le Trône et l'Autel.

Trône protestant et Autel catholique, s'entend ! Tous les francophobes ont toujours considéré cette alliance comme l'abomination de la désolation dans les Lieux saints. Et pourtant ce ne sont pas seulement nos évêques qui ont remué ciel et terre pour obtenir leurs droits et privilèges. C'est Londres qui leur a accordé ces avantages afin de s'assurer leur collaboration effective.

Défenseur du Trône et de l'Autel : tel fut l'un des grands rôles que soutint, pendant deux siècles, dans la France nouvelle de l'Amérique du Nord, l'épiscopat québécois.

L'Église canadienne a payé au centuple les avantages que lui conférait l'Acte de Québec de 1774 ; fidèle à ses engagements, elle a prêché la soumission aux autorités constituées ; à plusieurs reprises, elle a préservé le pays de la conquête américaine, du chaos, de l'anarchie.

Nombre d'historiens anglophones patronnent cette thèse avec une parfaite sérénité d'esprit et s'en constituent même les hérauts.

Dès le début du siècle, Francis Parkman [1] a résumé, en une phrase laconique, ce que le Canada doit à l'épiscopat

---

1 Cité par EDGAR dans *The Romance of Canadian History*, Toronto, 1902, p. 65.

québécois : « The Church could pay back with usury all that she received of aid and encouragement from the temporal power. »

Sur le même sujet, W.P.M. Kennedy [2] est plus explicite : « Not only in the American revolution, but in the French revolution, the Napoleonic wars, in 1812 and in the rebellions of 1837, the church and upper classes in Quebec set their faces like flint against organized treason and dismembering sedition. »

Auteur d'un célèbre rapport sur l'éducation dans le Bas-Canada en 1838, Arthur Buller [3], bras droit de lord Durham, a rendu à l'Église québécoise le magnifique témoignage que voici :

> It is impossible to pay too high a tribute to the merits of this most exemplary Church. [...] Its career [au Canada] has been marked by the most faithful discharge of its sacred duties and the most undeviating allegiance to the British.

* * *

C'est en 1775, quelques mois après l'adoption de l'Acte de Québec, au début de la Révolution américaine, que l'Église du Québec rendit le plus grand service à l'Angleterre. En demeurant fidèle à son allégeance et en exigeant la même fidélité de ses ouailles, l'évêque de Québec sauva le pays. Grâce surtout à lui, le drapeau étoilé ne se substitua pas, sur le sol canadien, au drapeau britannique.

Il importe de dissiper ici sans plus tarder une équivoque. Nous n'ignorons pas que le premier mandement, de 1775, de Mgr Briand ne suscita pas un unanime enthousiasme en faveur des vainqueurs de 1759 et que même un second mandement, en 1776, décrétant l'interdiction des sacre-

---

[2] *The Constitution of Canada*, Oxford University Press, 1938, p. 69.
[3] C.P. LUCAS, *Lord Durham's Report...*, p. 241.

ments pour tous les Canadiens qui passeraient au service de l'ennemi, n'empêcha pas quelques-uns d'entre eux de se joindre aux armées américaines. Il faut aussi ajouter que, en dépit de ces appels au loyalisme de la population, les « habitants », dans l'immense majorité des cas, se recroquevillèrent dans une neutralité non équivoque. S'ensuit-il que Mgr Briand ait failli à sa tâche ? Ceux qui tirent pareille conclusion se trompent du tout au tout. Malgré son échec partiel, Mgr Briand s'est révélé, en ces heures critiques, le véritable protecteur de la Couronne britannique au Canada.

Lorsque les armées de Montgomery et d'Arnold envahirent le Canada, en 1775, par la voie du Richelieu et de la Chaudière, le rôle des « habitants » revêtit une importance capitale, voire décisive. En bon stratège qu'il était, Washington le savait mieux que quiconque : sa lettre, en date du 14 septembre 1775 à Arnold l'atteste sans équivoque : « If they [les habitants] are averse to it [l'invasion américaine] and will not co-operate or at least willingly acquiesce, it must fail of success. In this case you are by no means to prosecute the attempt [4]. »

Bref, selon Washington, Arnold se trouvait dans l'alternative suivante : ou bien obtenir la collaboration ou tout au moins la neutralité bienveillante des « Canadiens », c'est-à-dire des « habitants », et poursuivre l'invasion du Canada, ou bien, à défaut de cette neutralité, renoncer à son entreprise.

Même au lendemain de la Conquête, Murray s'était rendu compte de l'importance souveraine des « habitants » pour consolider son emprise sur le pays. Écoutons là-dessus

---

[4] La page 515 de l'ouvrage célèbre de Victor COFFIN, *The Province of Quebec and the Early American Revolution* et la page 160 du non moins célèbre ouvrage de Reginald COUPLAND, *The Quebec Act*, montent en épingle ce passage de la lettre de Washington.

A.L. Burt [5] : « The attitude of the inhabitants might ruin him [Murray] and his little army, and therefore they must be won over. »

Ces « habitants » qui, au dire de tous les historiens avertis, devaient faire pencher la balance, en 1775, ne se départirent pas, dans l'immense majorité des cas, d'une stricte neutralité, lors de l'invasion des vallées du Richelieu et du Saint-Laurent par les armées de Montgomery et d'Arnold. Là-dessus Edgar McInnis [6] a dressé les intéressantes précisions que voici :

> A handful of French Canadians joined the Americans. Another small minority, chiefly in the towns, gave active aid to the government. But the bulk of the population fell back on an attitude of determined neutrality.

Bien naïfs seront ceux qu'une pareille neutralité étonnera. Le contraire eût été surprenant. Le professeur Coupland [7], nullement naïf en cette occurrence comme en beaucoup d'autres, a fait observer avec pertinence que l'on demandait aux Canadiens d'affronter le feu du canon américain, en s'unissant à ces « habits rouges » qui seulement quinze ans auparavant, les avaient combattus et conquis.

> There is little to be wondered at in the neutrality of the habitants. It might indeed seem more surprising that they did not take sides against their British rulers. [...] These British redcoats, so few and feeble now and cut off by the winter ice from succour or escape, were the people who, only some fifteen years ago, had killed their fathers and brothers, their lovers and husbands and sons. Stirred by such memories and by the pride of a hardy fighting stock, the habitants must surely have been tempted, especially when the invasion was actually in being, to raise the old battle-cry and reverse the judgment of the Plains of Abraham. Had a few thousand of them joined

---

[5] Cité par Chester MARTIN dans *Foundations of Canadian Nationhood*, p. 47.
[6] *Canada*, p. 151.
[7] *The Quebec Act*, p. 164.

the besiegers, Quebec must needs have fallen by assault. Had
they risen *en masse* [...] they would have overwhelmed the
meagre British forces by sheer weight of numbers and been
strong enough in the hour of Victory to dictate their own terms
to their American allies.

Car loin de maintenir ou de consolider leurs positions
de 1760, les conquérants se trouvaient soudainement, quinze
ans plus tard, à cause de l'invasion américaine — cette
« catastrophe too shocking to think of », au dire de Carleton — à la merci des vaincus. Leur situation s'était dété-
riorée. Carleton l'avouait en toute humilité. Et le professeur Burt [8] le note avec à-propos : « This foundation was
very shaky, he [Carleton] had no difficulty in pointing
out. » Le même historien admet également que, à partir
de 1775 et jusqu'à la fin de la guerre de 1812, le Canada
anglais se trouvait au pied du mur, « with her back to
the wall ». Encore plus catégorique, l'historien Carl Wittke [9]
voit en cet automne de 1775, pour l'Angleterre, « one of
the darkest hours in her imperial history ».

Comment sortir d'une pareille impasse ? Le seul salut
des Anglo-Canadiens, c'était de remuer ciel et terre pour
empêcher l'*intervention en masse* des Canadiens, c'est-à-
dire des habitants, contre eux. C'était de les maintenir
dans cette bienfaisante neutralité en continuant d'amadouer, comme l'avait fait Carleton, principal inspirateur
de l'Acte de Québec de 1774, les chefs des habitants : le
clergé et les seigneurs. Que serait-il advenu si ces chefs,
au lieu d'observer un loyalisme envers le conquérant de
1760, avaient préconisé, en 1775, la révolte contre les autorités constituées, dans le pays ?

Carl Wittke [10] a bien vu l'importance de l'enjeu : « Many
of Carleton's hopes concerning the efficacy of the Quebec

---

[8] *The Old Province of Quebec*, pp. 128, 158, 159.
[9] *A History of Canada*, p. 47.
[10] *Ibid.*, p. 53.

Act were not realized, but the law did serve well in avoiding a situation in which priests and seigniors might not have been actively loyal. »

Sous la conduite de Mgr Briand, les prêtres et les seigneurs accomplirent ce tour de force d'*empêcher la levée en masse* des habitants contre ceux qui, quinze ans auparavant, selon l'opportune remarque du professeur Coupland plus haut cité, « avaient tué leurs pères, leurs frères, leurs maris et leurs fils ». La perspective d'une revanche assurée ne réussit pas à ébranler la décision des Canadiens ancrés dans leur neutralité. Et pour cause : gardons-nous d'oublier que l'évêque de Québec avait fulminé contre ceux qui se joindraient à l'envahisseur l'interdiction des sacrements. Telle est bien la raison majeure de la neutralité des Canadiens.

Or cette neutralité ou, si l'on veut, cette absence de *levée en masse* a compromis, comme Washington l'avait prévu, le succès des envahisseurs américains. Là-dessus le professeur Coupland [11] a opportunément écrit :

> In the event, the neutrality of the habitants told in favour of the British. Carleton and his men could just save Canada without their help ; their help given to the enemy, they must have lost it.

Et l'historien [12] de souligner, quelques pages plus loin, l'importance de cette neutralité salvatrice : « If the habitants had risen [. . .] the history of Canada would probably have been merged in the history of the United States. »

L'homme qui, en définitive, a empêché cette annexion du Canada aux États-Unis, ce fut Mgr Briand. Soutenir le contraire, c'est déformer, dans l'histoire du Canada, un fait capital.

---

[11] *The Quebec Act*, p. 172.
[12] *Ibid.*, p. 186.

Que cette collaboration de l'évêque et de son clergé ait été intéressée, qui songerait à le nier ? Et depuis quand faut-il qu'une collaboration cesse d'être intéressée pour être efficace ? En adoptant l'Acte de Québec de 1774, l'Angleterre a entendu ses intérêts. Et Mgr Briand n'a pas agi à contre-fil des intérêts de son Église en appuyant l'Angleterre contre les Américains. Fructueuse collaboration entre gens intelligents : elle conjura le péril américain, en 1775, et empêcha l'Angleterre d'amener son drapeau, à Québec, à l'issue de la Révolution américaine.

Cette province française du Québec, a « priest ridden Quebec », comme se plaisent à l'appeler les Orangistes, leurs suppôts et leurs amis, ce Québec opprimé, dit-on, par ses prêtres, cette nouvelle France en terre américaine demeura britannique parce que catholique et française et soumise à ses prêtres. George M. Wrong [13] a proclamé cette vérité une fois pour toutes : « It seems a strange paradox that had Canada not then been French, it might not today be British [...] Quebec remained British because it was French. »

Plus précis, Arthur Dorland [14] ajoute : « The influence of the Church too was a decisive factor in keeping French-speaking Canadian British. » La plus récente constatation du même fait est consignée noir sur blanc dans le monumental ouvrage de Mason Wade [15] ; l'auteur américain estime, lui aussi, qu'en 1775 et au cours des années subséquentes, la partie septentrionale du continent américain « was to remain British by allowing it to remain French and Catholic ».

Jamais, que nous sachions, le Canada anglais protestant n'a stigmatisé — en cette conjoncture tout au moins —

---

[13] *Canada and the American Revolution*, Toronto, 1935, p. 260.
[14] *Our Canada*, 6. 117.
[15] *The French Canadians*, p. 63.

l'esprit de soumission des Canadiens français à leurs évêques et à leurs prêtres. Il s'oppose à l'influence indue —
ou dénoncée comme telle — du clergé catholique, en des
matières profanes ou mixtes, quand cette immixtion heurte
ses intérêts particuliers ; mais l'ingérence cléricale lui va
comme un gant, il l'appelle de tous ses vœux et il en favorise l'éclosion quand elle présente pour lui un intérêt vital.
Comme quoi, même pour un Anglo-Protestant, le cléricalisme a quelquefois du bon.

* * *

Chester Martin [16] soutient que le séparatisme québécois
remonte à l'Acte de Québec : « The Quebec Act [...] in-
troduced into Quebec an exotic tradition of racial separatism. » Comme quoi le séparatisme québécois compterait
déjà près de deux cents ans d'existence. En outre — et
cette réflexion ne manque pas de piquant — il aurait été
engendré, si l'on en croit l'éminent historien anglo-ontarien,
par une loi émanant de Londres.

Notons, par manière d'acquit, que Londres n'est pas,
en principe, opposé au séparatisme. Séparer, en 1774, les
Canadiens français de leurs voisins du Sud, favorisait alors
les intérêts de l'Angleterre. Aujourd'hui encore elle ne
croit pas agir à contre-fil de ses intérêts en encourageant
les Irlandais de l'Ulster à maintenir leur séparation de
leurs voisins du Sud. Lorsqu'elle s'imagine que le séparatisme trahit ou heurte ses intérêts, alors — et alors
seulement — elle le dénonce tantôt en sourdine, tantôt
avec véhémence.

Quant aux Anglo-Canadiens, presque tous adversaires du
séparatisme québécois, de l'« isolationnisme » canadien-
français, ils ne s'aperçoivent même pas que, en fait, ils se

---

[16] *Empire and Commonwealth*, p. XVIII.

contredisent ; artilleurs au tir déréglé, ils atteignent leurs meilleures troupes.

Car eux aussi pratiquent, depuis bientôt deux siècles, un séparatisme, un « isolationnisme » en comparaison duquel le séparatisme ou l'« isolationnisme » canadien-français n'est qu'un jeu d'enfant. Après la Révolution américaine, les loyalistes anglo-saxons, les *United Empire Loyalists* refusèrent carrément de se fondre dans le « melting pot » des États-Unis, dans ce creuset américain. Ils abandonnèrent leurs terres, leurs biens, leurs amis ; ils quittèrent ces colonies américaines devenues indépendantes ; ils bravèrent tous les dangers et s'établirent, après de difficiles pérégrinations, en Ontario, dans les Cantons de l'Est, dans la Nouvelle-Écosse et le Nouveau-Brunswick afin de conserver leur culture et leur idéal. Jamais ils n'eussent consenti à troquer leur *Union Jack* contre le drapeau étoilé ; jamais ils n'eussent songé à vendre leur glorieux héritage pour un plat de lentilles américaines.

Bref, ils eurent à choisir entre la pauvreté, les privations, l'indigence à l'ombre de l'*Union Jack*, et l'aisance, le confort, l'opulence à l'ombre des *Stars and Stripes*. Sans hésitation ils ont opté pour l'*Union Jack*.

Et tous les vrais Canadiens ont alors applaudi à cette courageuse détermination. Tous ont vu — et voient encore aujourd'hui — dans cet événement une splendide manifestation de la primauté du spirituel. De nos jours, dans les milieux anglo-canadiens, ces *United Empire Loyalists* prennent figure de géants, de héros qui, au prix des pires sacrifices, ont refusé de perdre leur physionomie propre dans un anonymat américain.

Bref, ils ont mieux aimé vivre dans un pays beaucoup moins bien partagé, à maints égards, et condamné, alors comme de nos jours, sur le plan économique tout au moins, à mener une vie de satellite gravitant autour de l'astre américain.

Eux aussi, aux acclamations générales, se sont isolés. Pourquoi donc cet isolationnisme, remède souverain, pour eux, serait-il poison pour nous ? Pourquoi un talisman dans le Canada anglais devrait-il être tenu pour un virus dans le Canada français ? En vertu de quel sortilège une abomination dans le Québec se transformerait-elle en une bénédiction dans l'Ontario ? L'isolationnisme, élixir et panacée pour les *United Empire Loyalists,* comment se dé- graderait-il subitement en un miasme et une manière de peste noire pour les petits-fils et les arrière-petits-fils des Patriotes de 1837 ?

Entre eux et les Canadiens français existe un trait d'union, un commun dénominateur : la volonté farouche de demeurer soi-même et d'accomplir son destin. Noble mission pour eux comme pour nous.

En somme, les Anglo-Canadiens, tous plus ou moins fils spirituels des *United Empire Loyalists,* renoncent, aujour- d'hui encore, aux avantages pécuniaires de l'annexion aux États-Unis afin de maintenir une inébranlable fidélité à leurs traditions et à leurs ancêtres. Comme nous les com- prenons bien ! Et pourquoi faut-il que tant d'entre eux nous comprennent si mal ?

VI. — La guerre de 1812

« He [Mackenzie King] had sought to have the people of Canada understand the province of Quebec. The other provinces owed something to Quebec for keeping Canada British in 1775 and 1812. »

Qui est l'auteur de ce paragraphe ? Nul autre que Mason Wade [1]. Bruce Hutchison [2] a contresigné ces propos : « Let it be remembered, he [King] said, that the French Canadians had made Canada possible by saving it from two American invasions. »

À n'en pas douter, les années 1775 et 1812 marquent les deux dates les plus importantes dans l'histoire du loyalisme canadien-français.

En 1812, ce loyalisme fut de nouveau soumis à une rude épreuve. La France s'était unie aux États-Unis pour combattre la Grande-Bretagne. De nouveau les invasions américaines menaçaient le Canada, le Canada anglais comme le Canada français. Comme en 1775, l'épiscopat québécois sauva le pays, en 1812, de l'annexion aux États-Unis. Mgr Plessis, évêque de Québec, veilla au grain et exhorta ses ouailles à défendre, le cas échéant, le sol natal.

Plus heureux que Mgr Briand, Mgr Plessis obtint l'active collaboration de tous les Canadiens. Mais passons ici la plume au professeur Coupland [3] :

> The French-Canadians served willingly and fought bravely in the militia ; and if it was on the citizen-soldiers of Upper Canada together with the British regulars and the colonial regiments raised in the Maritime Provinces that the brunt of the fighting fell, their heroism would have been of no avail if

---

1 *The French Canadians*, p. 1036.
2 *The Incredible Canadian*, Toronto, 1953, p. 393.
3 *The Quebec Act*, p. 192.

the French-Canadians had not held the flank in Lower Canada. The "voltigeurs" of Chateauguay take rank in history beside the British at Queenston Heights and Lundy's Lane.

On a bien lu : l'héroïsme des Anglo-Canadiens n'eût servi à rien, sans la victoire des Canadiens français à Châteauguay. Cette fois encore le loyalisme de l'évêque de Québec ne prêta le flanc à aucun soupçon.

Ici comment ne pas consigner quelques sagaces observations de Helen Taft Manning [4]. Son récent ouvrage en foisonne ; mais les deux que voici méritent une mention spéciale, puisqu'elles entrent dans le vif de la question.

> In 1812 Plessis was to demonstrate that the greater the strength of the Church organization, the easier the task of the Governor when it came to defending the province.

Lorsqu'il s'agissait de défendre la province, la puissance de l'Église facilitait la tâche du gouverneur : admirable synthèse qui résume la situation non seulement en 1775 et en 1812, mais aussi au cours des années subséquentes. Nous voilà aux antipodes de la thèse des Orangistes et de leurs sympathisants : l'Église de Rome, ennemienée de la Couronne britannique.

Un peu plus loin [5], l'auteur enfonce le clou :

> Prevost [sir George, huitième gouverneur du Canada] did succeed in securing for Plessis a very large increase in his income and at least an informal recognition of his right to the episcopal title. What was even more important, he convinced Lord Bathurst, who became Colonial Secretary in 1812 and remained in that office for fifteen years, that the cultivation of the goodwill of the Catholic clergy had been the most important factor in winning the co-operation of the French Canadians in the war with the United States (1812), a lesson which His Lordship was never to forget.

---

[4] *The Revolt of French Canada*, pp. 37 et 99.
[5] *Ibid.*

Ce paragraphe caustique appelle quelques commentaires. On n'ignore pas que, pendant plusieurs années après la Conquête, les autorités britanniques refusèrent d'attribuer le titre d'évêque de Québec à Mgr Briand ; seul celui de surintendant de l'Église romaine lui fut octroyé, ce qui laissait le champ libre au seul évêque de Québec : l'évêque anglican. Conséquence logique de « l'établissement » de l'Église anglicane en Angleterre.

Après 1812, non seulement les autorités métropolitaines ne redoutent en aucune façon l'emprise de l'évêque de Québec sur son peuple, mais elles la consolident ! Elles accroissent les émoluments de Mgr Plessis et elles déclarent, par la voix autorisée de leur gouverneur, qu'elles ont obtenu l'active collaboration des Canadiens, au cours de la guerre de 1812, grâce surtout à la bonne volonté du clergé catholique du Bas-Canada.

Aveu officiel infiniment précieux, qui pulvérise l'accusation massive de déloyauté portée sans vergogne contre l'Église québécoise par ceux qui sollicitent les faits ou les commentent avec parti pris.

En 1775, la neutralité de l'immense majorité des habitants avait incité plusieurs francophobes à formuler contre les Canadiens français l'accusation massive de trahison. Les événements qui se déroulèrent, au cours de l'année 1812, ruinèrent cette accusation. Entre plusieurs autres historiens, le professeur Burt [6] s'en est rendu compte :

> The French Canadians then gave the lie to the accusation that they were traitors at heart, which their domestic enemies had already levelled against them and were to renew in years to come.

« Traitors at heart » : traîtres dans leur for intérieur. Accusation forgée par un racisme inconscient et colportée

---

[6] *The British Empire and Commonwealth*, Heath, 1956, p. 134.

par la mauvaise foi ou l'intérêt au cours de la guerre sud-
africaine, de la première guerre mondiale de 1914-1918 et
de la seconde guerre mondiale de 1939-1945.

Pour le Canada anglais comme pour le Canada français,
deux événements heureux ont donc marqué les années
1812 et 1813 : victoire de Brock qui meurt au champ d'honneur, à Queenston Heights ; victoire du colonel de Salaberry à Châteauguay.

Laquelle des deux victoires fut la plus importante ?
Afin de bien éclairer là-dessus sa lanterne, il convient de
relire un passage susmentionné.

Au sentiment du professeur Coupland [7], l'héroïsme de
Brock et de ses hommes eût été vain « if the French Canadians had not held the flank in Lower Canada ».

Assertion dépourvue de preuve ou, tout au moins, de démonstration. Cette démonstration, le professeur J.M.S.
Careless [8] la fournit. Montons en épingle cette importante
pièce :

> The Americans were thrown back at Chateauguay and La-
> colle. Instead of concentrating on capturing Montreal, the
> United States wasted its forces in invading the outflung western
> province, slashing away at the branch instead of cutting
> through the trunk.

Lumineuse explication. Le Saint-Laurent et la région
des Grands Lacs sont comparés à un arbre géant dont le
tronc serait le fleuve alors que les Grands Lacs constitue-
raient l'ensemble des branches et du feuillage. Comme
chacun le sait, couper le tronc d'un arbre entraîne ordi-
nairement sa mort.

D'ailleurs Québec était la clef du Canada. L'ennemi
devait s'en rendre maître s'il voulait conquérir le pays.

---

[7] *The Quebec Act*, p. 192.
[8] *Canada*, p. 132.

A.G. Bradley [9] n'était pas dupe des apparences lorsqu'il a écrit :

> Quebec was the key of Canada. So long as she remained un-conquered the colony was not lost. This was a recognized axiom in North America and no one had better cause to know it and hold it than Dorchester.

Obligés de guerroyer contre un ennemi presque toujours supérieur à eux, quant au nombre (« the long tale of resistance of the few to the many » comme l'a proclamé une fois pour toutes Arthur Lower), les Canadiens français ont gagné peu de batailles. Leurs rares victoires leur sont donc chères à plus d'un titre. Ils les chérissent comme la prunelle de leurs yeux. À n'en pas douter, l'une d'entre elles est bel et bien la victoire de Châteauguay.

Pourquoi faut-il que, jusqu'à ces tout derniers temps, une manière de conspiration du silence, dans le Canada anglais, ait escamoté ou minimisé cette victoire ? Passons ici la plume à un grand Canadien, le regretté Vincent Massey.

À Charlottetown dans l'Île-du-Prince-Édouard, le 1er juin 1964, devant les membres du « Canadian Club », celui qui était alors gouverneur général du Canada prononça une conférence où, sur un sujet qui lui tenait au cœur, il osa dire la vérité en toutes lettres :

> Present day education has failed signally to teach us what kind of country Canada is... On certain occasions we sang *The Maple Leaf Forever* which, we hoped, would "the Thistle, Shamrock, Rose entwine." Much we owe to them all, but was the fleur de lis part of the garland ? No.

Aujourd'hui l'*O Canada* est l'hymne national du Canada ; tel n'était pas le cas au moment où Vincent Massey dressa contre ses compatriotes ce terrible réquisitoire. Alors

---

[9] *Lord Dorchester*, Toronto, 1907, p. 295.

plusieurs Anglo-Canadiens caressaient l'espérance de transformer *The Maple Leaf Forever* en hymne national pour tout le Canada, Canada français comme Canada anglais.

Le chardon symbolise l'Écosse ; le shamrock, l'Irlande ; la rose, l'Angleterre. Un *Maple Leaf Forever* eût contraint les Canadiens français à chanter à qui mieux mieux : « Puissent le chardon, le shamrock et la rose toujours entrelacer la feuille d'érable » sans mentionner, même à la dérobée, la fleur de lis. Ce reniement de leurs origines eût été précédé d'un hommage à Wolfe, leur vainqueur, comme l'atteste le premier couplet de la chanson :

> In days of yore, from Britain's shore,
> Wolfe, the dauntless hero came,
> And planted firm Britannia's flag
> On Canada's fair domain.
> Here may it wave our boast and pride
> And join in love together
> The thistle, shamrock, rose entwine
> The Maple Leaf forever.

Pas la moindre allusion au régime français qui a duré plus d'un siècle et demi et a précédé le régime anglais ! Pas un mot sur nos missionnaires, nos découvreurs, nos colonisateurs, nos preux dont la résistance émerveille encore les historiens anglophones ! Pas la moindre évocation de « tout ce monde de gloire où vivaient nos aïeux » !

Hautain et pesant mépris !

Mais il y a pis. Lisons attentivement le deuxième couplet de la chanson :

> At Queenston Heights and Lundy's Lane,
> Our brave fathers side by side,
> From freedom homes and loved ones dear,
> Firmly stood and nobly died ;
> And those dear rights which they maintained,
> We swear to yield them never.

Our watchword evermore shall be
The Maple Leaf forever.

Et la bataille de Châteauguay ? Cette bataille plus importante, au dire des professeurs Coupland et Careless, que celle de Queenston Heights, que devient-elle dans cet hymne « national » ou se donnant pour tel ? Elle est tout simplement, comme si de rien n'était, supprimée, escamotée, éludée.

Stupidité géniale !

Stupidité dont l'ère, hélas ! n'est pas close. Lisez à la loupe *The Story of Canada*, de Donald Creighton, ancien professeur d'histoire du Canada à l'Université de Toronto, historien réputé, chamarré de titres et de décorations. Ce livre ne remonte pas au déluge : il fut publié à Toronto, en 1959, et à Boston en 1960. Il campe la silhouette héroïque de Brock à Queenston Heights, mais demeure muet comme carpe au sujet du colonel de Salaberry à Châteauguay.

Péché d'omission pire que beaucoup de péchés de commission.

Cette victoire de Châteauguay, certains journalistes contemporains tentent, avec astuce, de la ravir au Canada français.

Le hasard des éphémérides amena le *Leader Post* de Regina à réveiller, le 26 octobre 1964, le souvenir de Châteauguay. Sous le titre *Today in History*, il consigna noir sur blanc, sans vergogne aucune : « A small force of British and French-speaking Canadian soldiers defeated [le 26 octobre 1813] 1,500 Americans in the Battle of Châteauguay. »

Les « British soldiers » d'abord ; les « French-speaking Canadian soldiers » au deuxième rang, à la queue de l'armée. Comment le lecteur superficiel ne tirerait-il pas la conclusion que ce sont les « British soldiers », aidés de leurs compatriotes francophones, qui ont remporté la victoire de Châteauguay ?

On trouve le même manquement à la vérité dans une notule que publia, il y a quelques années, l'*Ottawa Journal* :

> In Lower Canada, in October [1813], ten thousand invaders stormed Châteauguay [...] reinforcements under "red George" Macdonell arrived just in time to bolster Colonel de Salaberry's tiny force and succeeded in routing the attackers.

Cette fois, le lecteur superficiel s'imaginera que, sans le secours de George Macdonell, le colonel de Salaberry aurait mordu la poussière à Châteauguay.

Heureusement qu'une maîtresse page du tome II de l'ouvrage intitulé *Select British Documents of the Canadian War of 1812* permet de rétablir la vérité dans ses droits. Ces paragraphes émanent de la plume de « red George » Macdonell lui-même :

> Mr. Donaldson's Office, Whitehall
> Jan. 14th 1817

> Sir — At the request of Lt.-Col. de Salaberry, of the Canadian Voltigeur, still in Canada, I do myself the honor of stating to you for the information of H.R. Highness, the Commander-in-Chief, that having been second in command in the important action of Chateauguay, I can pledge my honor that the merit of occupying that position and fighting that action is exclusively due to Lieut.-Col. de Salaberry, who acted in both respects entirely from his own judgment. Major-General de Watterville having only come up from his station some miles in the rear at the close of the affair, after the enemy had been defeated ...
> Lieut.-Colonel de Salaberry having in this affair the good fortune to defeat a division of 7,000 regular troops, the largest regular army that the American nation has ever yet brought in action, I hope that H.R.H., the commander-in-chief will do him the honor to take the subject into his gracious consideration — I have the honor to be, etc. G.M. McDonell.

De Salaberry, vainqueur de la bataille de Châteauguay :
cette lettre de George Macdonell en fait foi. Impossible de
ne pas souscrire à ce jugement que la postérité a déjà ratifié.
Quelle fut la première statue de bronze coulée au Canada ?
On ignore trop que ce fut la statue du vainqueur de Châteauguay. W. Stewart MacNutt [10] n'a pas oublié l'événement :

> One of the important events of Lord Lorne's regime in Cana-
> da was a tribute to the memory of the French Canadian militia
> man whose service to the Crown constituted one of the glorious
> epochs in the history of the race. The first bronze statue cast
> in Canada was that of de Salaberry, the hero of Chateauguay,
> unveiled at Chambly in June 1881.

---

[10] *Days of Lorne*, New Brunswick, 1955, p. 195.

VII. — Entre 1775 et 1812

Les périodes de 1775 et de 1812 : deux sommets dans l'histoire du loyalisme canadien-français. Entre ces dates, un intervalle de trente-sept ans utile, lui aussi, à la cause britannique au Canada, par les interventions ou les abstentions des Canadiens soumis à leurs pasteurs. Pendant ces trente-sept ans, à plusieurs reprises, au sein de situations délicates et douloureuses, l'épiscopat québécois s'est révélé le meilleur soutien de la Couronne en Amérique du Nord.

En 1775, il était loisible aux Canadiens de professer, en théorie tout au moins, un certain détachement à l'égard des armées en présence — armées anglaises et armées américaines — sur le sol québécois. Le professeur Coupland [1] l'a bien compris, puisqu'il a écrit : « After all », the habitants told themselves, « it is a domestic quarrel between Englishmen : it is not our business to interfere on either side. »

Mais en 1778, la situation changea du tout au tout pour ces Canadiens. Après avoir signé avec les États-Unis, toujours en guerre contre l'Angleterre, un traité d'alliance défensive, la France envoya à New York une escadre commandée par l'amiral d'Estaing.

Loin de se consolider, les positions des Britanniques, au Canada, devenaient précaires. Carleton [2] avait prévu l'éventualité dès 1767 comme l'atteste un paragraphe de l'une de ses lettres :

> Should a French war surprise the province in its present situation, the Canadian officers sent from France with troops might assemble such a body of people as would render the King's dominion over the province very precarious.

[1] *The Quebec Act*, p. 172.
[2] *Ibid.*, p. 159.

N'oublions pas que, malgré ses défaites, la France demeurait, en 1778, une puissante nation toujours capable d'inspirer à sa traditionnelle rivale sinon de l'effroi, au moins de la crainte. Crainte qui n'avait rien de chimérique, comme l'a constaté le professeur Burt[3] :

> What the Americans had not been able to do by themselves they might be able to accomplish with the help of their ally. France had more soldiers than Britain, a fleet that qualified her command of the sea...

Mais surtout — et le professeur Burt le note avec sa coutumière sagacité — la France avait un formidable atout à sa disposition. Elle exercerait un puissant ascendant sur ces Français du Canada, hier encore — car qu'est-ce que quinze ans dans la vie d'un peuple ? — sujets du roi de France.

Et le professeur Burt d'ajouter opportunément :

> Already the foundations of British rule in the North were shaken by the news that France had declared war on Britain. The tidings flew from village to village, awakening old memories and stirring new hopes in Canadian hearts.

Pourquoi cette effervescence dans les esprits et dans les cœurs ? Ces Canadiens prêtaient l'oreille à une voix puissante et séductrice : la voix du sang. « They leaped at the call of the blood », remarque le même historien. Cette voix devint tonitruante lorsque, dans sa « Déclaration adressée au Nom du Roi à tous les anciens Français de l'Amérique Septentrionale », l'amiral d'Estaing disait aux Canadiens : « Vous êtes nés français, vous n'avez pu cesser de l'être ! »

Call of the blood, voix du sang : voix aveugle, donc voix qui peut devenir dangereuse, surtout lorsque, comme

---

[3] *A Short History of Canada for Americans*, p. 82.

c'est trop souvent le cas, elle se soustrait au contrôle de la logique et de la saine raison ; elle surexcite alors la sensibilité, enflamme l'imagination, avive les blessures et les ressentiments, stimule l'orgueil et, en somme, engendre ce qui devient bel et bien le racisme.

N'allons toutefois pas croire, comme le font certains racistes anglo-saxons, que la voix du sang français, allemand, italien ou autre est nécessairement mauvaise, tandis que la voix du sang anglais est toujours bonne, voire excellente. Très souvent au cours de leur histoire, les Anglais ont écouté la voix du sang et s'en sont félicités. Loin d'imposer silence à cette voix, en 1899, lors de la guerre sud-africaine qui souleva contre la Grande-Bretagne l'indignation et l'hostilité du monde civilisé, les Anglais en repercutèrent les échos afin de fouetter leur patriotisme et de hâter la défaite des infortunés Boers.

Si l'on refuse d'accabler de ses foudres la voix du sang anglais qui déclencha et mena à bonne fin la guerre sud-africaine, convient-il de fulminer des anathèmes contre les Canadiens de 1778 coupables — si tant est que culpabilité il y ait eu — de désirer, seulement dix-huit ans après la Conquête, une décisive revanche et leur réintégration dans la grande patrie française ?

En une aussi grave et nouvelle conjoncture quel serait le comportement du clergé québécois ? Cette fois, il devait assumer une tâche infiniment plus difficile qu'en 1775. George M. Wrong [4] s'en est rendu compte :

> We may well imagine that the Canadian clergy, who in 1775 and 1776 had refused the sacraments to those who joined the heretic American invader, should have seen in a different light the appeal from Catholic France.

---

[4] *Canada and the American Revolution*, p. 345.

Le dénouement de cette crise se fit attendre. En 1780, toujours menaçante et résolue à aider les États-Unis à conquérir leur indépendance, la France envoya en Amérique du Nord une division commandée par Rochambeau. Avec lui la voix du sang français ne perdit rien de sa puissance d'incantation.

Les années qui précédèrent immédiatement la Révolution française mirent une sourdine, au Canada, à toutes ces espérances des Canadiens. En 1793, la mort de Louis XVI sema la consternation et l'horreur sur les bords du Saint-Laurent. Peu de temps après ce régicide, la France révolutionnaire déclara la guerre à la Grande-Bretagne.

Elle envoya aux États-Unis un plénipotentiaire. Edmond-Charles Genêt, car c'est de lui qu'il s'agit, était chargé d'une difficile mission : fomenter des troubles entre la Grande-Bretagne et les États-Unis et ramener dans leur ancienne allégeance ces Canadiens devenus sujets britanniques. À l'intention de ces Français d'Amérique, il publia une brochure intitulée : *Les Français libres à leurs frères du Canada.* Ces paragraphes enflammés préconisaient l'insurrection des Canadiens.

Cette voix du sang français ne clama pas alors dans le désert. Profondément remué, le peuple canadien-français retrouvait sa foi dans son destin. Si meurtries que fussent certaines âmes au souvenir des malheurs de la Conquête, elles s'auréolaient quand même, surtout en 1793, d'espérances françaises.

Propos séditieux qui trouvaient audience auprès des Canadiens ; projets d'une offensive française bientôt déclenchée, avec le concours des États-Unis, contre le Canada anglais : toutes ces rumeurs tantôt confirmées, tantôt controuvées, circulaient sous le manteau de la cheminée et excitaient l'agitation des esprits. Cette agitation semble bien avoir connu son point culminant lorsque Dorchester, au cours du mois de mai de 1794, appela les miliciens sous les drapeaux afin de conjurer la menace d'une invasion américaine par la voie du Vermont.

Alors que le Canada français était en ébullition, quelle ligne de conduite l'épiscopat québécois tracerait-il aux fidèles ? Prêcherait-il le loyalisme ou la révolte, c'est-à-dire la revanche et l'accomplissement d'un nouveau destin ? Cause sacrée, dramatique, où était engagé l'avenir de la petite patrie canadienne-française. Et c'est l'intervention de l'épiscopat québécois qui encore une fois ferait pencher la balance.

De toute façon l'évêque de Québec devait jouer gros jeu : fermer l'oreille à la voix du sang de ses ouailles, c'était en quelque sorte ramer à contre-courant et agir, au sentiment des extrémistes tout au moins, à contre-fil des intérêts immédiats du Canada français.

L'histoire atteste que, lors de cette crise comme en 1775, l'Église du Québec resta fidèle à sa nouvelle allégeance. C'est elle, en somme, qui, encore une fois sauva le drapeau britannique dans la partie septentrionale de l'Amérique du Nord. Tous les calomniateurs de l'Église romaine en tant que telle et, par voie de conséquence, de l'Église québécoise, devraient lire, relire, méditer et apprendre par cœur une page de Mason Wade [5] qui s'appesantit sur l'important sujet.

En premier lieu, l'auteur américain rappelle l'avertissement que, dans sa lettre circulaire de novembre 1793, Mgr Hubert donna à son clergé. L'évêque de Québec ne craignit pas de rétablir la vérité — vérité alors impopulaire, sinon chez les seigneurs et les bourgeois, au moins chez

---

[5] *The French Canadians,* p. 99.

les habitants — et de faire observer que la nouvelle allégeance du Canada français à l'Angleterre ne pouvait être
tenue pour un vulgaire chiffon de papier : « The bonds »,
écrit Mason Wade en traduisant le texte même de la circulaire de l'évêque, « which attached them to France had
been entirely broken and that all the loyalty and obedience
which they formerly owed to the King of France they now
owed to His Britannic Majesty ».

Et l'évêque estima qu'il fallait aller plus loin. Mason
Wade signale que, l'année suivante, Mgr Hubert signa le
premier un manifeste loyaliste condamnant « with the
greatest horror the seditious attempts lately made by wicked
and evil-intentioned persons in circulating false and in-
flammatory writings [...] against the laws and powers of the
government. »

En 1796, nouvelle circulaire de Mgr Hubert à son clergé.
Il le met en garde contre « the mute and pernicious pro-
ceedings [...] to trouble entirely the peace [...] avoidance
of any spirit which might inspire them with the ideas of
rebellion and independence. »

En 1798, lors de la victoire de Nelson à Aboukir, Mgr
Denault « ordered a public thanksgiving » pour célébrer la
destruction, par l'amiral anglais, de la flotte française commandée par Brueys.

Puis vint le temps où le pasteur et ses ouailles passèrent
des paroles aux actes. La même page substantielle de
Mason Wade consigne ces actes : « In 1799 the Assembly
offered to vote £20,000 to help England meet the expenses
of the war with France ; in 1800 and 1801, a long list of
French Canadians, headed by the clergy, subscribed to the
patriotic fund raised to support British arms against
France. »

Bref, c'est surtout l'épiscopat québécois qui, au cours de ces tragiques années, réduisait au silence la voix du sang français. De 1793 à 1800, comme en 1775 et jusqu'à nos jours, il s'est maintenu dans le droit fil de ses traditions ; s'il y avait dérogé, le Canada français et le Canada tout court eussent changé de face.

VIII. — L'Acte constitutionnel de 1791

Si l'Acte de Québec donna une satisfaction relative au clergé et aux seigneurs, il ne sut gagner ni l'esprit ni le cœur des habitants qui constituaient alors l'immense majorité des francophones québécois.

Quant aux anglophones réclamant, depuis plusieurs années déjà, une Chambre d'Assemblée, c'est-à-dire un gouvernement représentatif, comme chez leurs voisins du Sud, ils clabaudèrent contre Londres qui avait fermé l'oreille à leur plus cher désir.

Après la Révolution américaine, bon nombre d'anglophones refusèrent de vivre à l'ombre du drapeau étoilé. Ils quittèrent les États-Unis et vinrent s'établir au Canada : dans les provinces maritimes, au Québec et surtout à l'ouest de l'Outaouais, dans ce qui deviendra le Haut-Canada, c'est-à-dire l'Ontario.

Vers la fin du dix-huitième siècle, en raison de clameurs devenant de plus en plus tonitruantes, les autorités métropolitaines accédèrent aux désirs de la population anglophone du pays et notamment de ceux qui s'étaient imposé de lourds sacrifices pour demeurer fidèles à leur allégeance britannique. Ils furent bientôt connus sous le nom de *United Empire Loyalists*. Telle est l'origine de l'Acte constitutionnel de 1791.

En vertu de cet Acte, l'ancienne province de Québec fut partagée en deux : le Bas-Canada français et le Haut-Canada anglais.

Au gouverneur général, nommé par Londres, sont octroyés des pouvoirs quasi discrétionnaires. Chaque province est munie d'un lieutenant-gouverneur et d'un Conseil législatif composé de membres nommés par la Couronne.

Enfin chaque province obtient une Chambre d'Assemblée composée de membres élus par le peuple.

Londres accordait donc à la population anglophone du Haut-Canada comme à la population francophone du Bas-Canada un gouvernement représentatif, puisque le peuple élisait ses représentants. Un gouvernement représentatif, soit ! Mais non pas un gouvernement *responsable* : la Chambre d'Assemblée avait voix non pas délibérative, mais uniquement consultative ; le gouverneur était responsable non pas à la Chambre d'Assemblée, mais à la Couronne.

Bref, de 1791 jusqu'à l'insurrection de 1837, ces deux Chambres d'Assemblées jouèrent le rôle peu reluisant de cinquième roue sous la voiture.

En outre, munis de presque tous les pouvoirs et disposant ainsi d'une influence considérable, le gouverneur et ses créatures exercèrent chez eux et autour d'eux une manière d'hégémonie. Ainsi naquirent le « Family Compact » dans le Haut-Canada et la « Clique du Château » dans le Bas-Canada.

C'était, avant la lettre, à certains égards, le WASP (*W*hite *A*nglo-*S*axon *P*rotestant). Et les Anglicans, infime minorité dans le Haut comme dans le Bas-Canada, se trouvaient, comme par hasard, majoritaires dans l'un et l'autre cénacle.

Ces représentants du peuple artificiellement unis à ce groupement de favoris, c'était en somme l'union du pot de terre et du pot de fer. Il fallait redouter un prochain éclatement qui se produisit, en 1837 : dans le Bas-Canada, insurrection des « patriotes » que dirigeait Papineau ; dans le Haut-Canada, insurrection des réformistes anglophones sous la conduite de MacKenzie.

*   *   *

L'insurrection de 1837 projette un autre faisceau de lumière sur le rôle loyaliste des évêques du Canada français. Vingt-cinq ans seulement après la guerre de 1812, ces évêques prirent le parti de la Couronne britannique contre quelques-uns de leurs fidèles les plus doués sinon les plus dociles. Pour la première fois, les « rouges », c'est-à-dire les libéraux avancés, les intellectuels progressistes, voire les anticléricaux et les agnostiques, tinrent les devants de la scène sur les tréteaux du monde politique du Canada français.

Ces nouveaux venus s'étaient placés sous la houlette d'un chef incontestable et incontesté : Louis-Joseph Papineau. Personnage intelligent, cultivé, dynamique, orateur au verbe prenant, il entrera vivant dans la légende. Et le poète, en deux vers, campera magnifiquement la silhouette épique du chef des « patriotes » :

> *Il fut toute une époque. Et longtemps notre race*
> *N'eut que sa voix pour glaive et son bras pour cuirasse.*

Ces « patriotes » stigmatisaient le colonialisme ; ils voulaient briser les chaînes d'un esclavage politique et faisaient des vœux pour le bonheur et la prospérité d'un Québec libre.

C'eût été miracle si ces gens, contre lesquels sévissaient, à l'état endémique, les incompréhensions, l'arrogance, les abus de pouvoir de Londres et du Canada anglais, n'eussent pas été antibritanniques. Le fait n'a pas échappé à l'attention de l'historien Lower [1] : « *Les rouges* as followers of Papineau were nationalistic and more or less anti-British. »

---

[1] *Canadians in the Making*, p. 275.

Mais telle n'était pas leur unique caractéristique : à l'antibritannisme ils joignaient l'anticléricalisme. Plus ou moins en sourdine, lors des troubles de 1837, cet anticléricalisme éleva la voix au cours des années subséquentes et notamment vers le milieu du siècle.

Après un séjour à Paris, Papineau rentra au pays. Frotté de phraséologie ultra-libérale et de sophismes démocratiques, il s'entoura d'un état-major où figuraient les Dorion, les Dessaules, les Laflamme et nombre d'autres « patriotes », tous ou presque tous polémistes redoutables et redoutés. Jamais, dans l'histoire du Canada français, l'anticléricalisme ne leva plus carrément la tête qu'à cette époque.

Ici qu'on nous permette de nous appesantir sur une parenthèse ouverte par le professeur Lower.

Après avoir noté que presque tous les membres de cette cohorte rouge, de même que la plupart des animateurs de l'Institut canadien de Montréal, passaient pour des esprits forts, l'historien écrit :

> Destroyed though they all were by Bishop Bourget, the surprising phenomenon surely is that such a party, anti-clerical, apparently anti-Catholic and anti-Christian should have had any support in Lower-Canada at all, let alone getting some of its members chosen for parliament. English Canadians holding similar views would have had no chance of election in the Upper Canada of the time [2].

On a bien lu : dans le Haut-Canada de l'époque, jamais de pareils radicaux n'auraient pu obtenir la faveur du peuple. Aveu révélateur : il pulvérise la légende d'un Québec étroit, intransigeant, extrémiste, d'un « priest-ridden Quebec » qui bâillonnerait la liberté, exigerait une obéissance sans réaction consciente ou non, *perinde ac cadaver*

---

[2] *Ibid.*, p. 275.

et provoquerait chez l'immense majorité des fidèles une hypocrisie collective.

C'est aux militants d'une pareille idéologie que se heurta, en 1837, l'épiscopat québécois. Encore une fois, il jouait gros jeu. Il eût pu suivre la ligne de moindre résistance et attiser le feu de la révolte.

Alors que serait-il advenu ? On le devine. Et le professeur Burt[3] parle là-dessus sans ambages :

> The rebellion of 1837 in Lower Canada was not a rising of the French people. If it had been, the situation would have been terrible, for the French still numbered more than half of the population of Upper and Lower Canada combined.

Afin de redresser cette « terrible situation », un seul moyen s'offrait à l'épiscopat : l'intervention.

La neutralité absolue eût favorisé, ne l'oublions pas, le mouvement révolutionnaire. Papineau lui-même ne demandait rien d'autre aux prêtres que de rester dans leurs églises ou leurs sacristies et de ne pas se mêler de politique : sa lettre du 7 février 1838, adressée à sa famille et citée par Jean Bruchési[4] en fait foi : « Les chances de salut sont peu nombreuses. Elles eussent été certaines si les prêtres se fussent bornés à prier. C'est leur état ; ils ne font que du bien quand ils y restent, ils ne font que du mal quand ils en sortent. »

Ici Papineau taxe le clergé d'ingérence politique.

Seule l'intervention de l'épiscopat pouvait redresser la situation. Courageusement les évêques de Québec et de Montréal se lancèrent dans la mêlée et s'exposèrent ainsi aux invectives des « rouges » qui firent feu de toutes parts pour défendre leur idéologie.

---

3 *A Short History of Canada for Americans*, p. 153.
4 *Témoignages d'hier*, p. 106.

Mason Wade [5] a pris acte, en cette conjoncture, des déclarations épiscopales :

> On July 25 (1837) at a dinner celebrating the consecration of Bishop Bourget as his coadjutor, Bishop Lartigue of Montreal informally advised his clergy that "it is never permissible to revolt against legitimate authority [...] that absolution should not be given in the tribunal of penitence to anyone who teaches that it is permissible to revolt against the government under which we have the happiness to live".

À son clergé, Mgr Signay, évêque de Québec, recommanda surtout, en ces temps difficiles, la prudence.

Puis vint une lettre pastorale de Mgr Lartigue ; elle souleva l'ire des « patriotes » et de leurs journaux qui dénoncèrent l'ingérence politique, à leur sentiment tout au moins, de l'évêque de Montréal. Mgr Lartigue ne s'était pourtant assigné d'autre but que d'éviter la guerre civile.

Le 11 décembre 1837, intervention de Mgr Signay. Passons encore une fois, sur le passionnant sujet, la parole à Mason Wade [6] : « Bishop Signay... condemned recourse to revolt as [...] criminal in the eyes of God and of our holy religion. » De nouveau, la presse des « patriotes » accusera le haut clergé de s'immiscer dans des questions politiques.

Voici enfin là-dessus la dernière observation de Mason Wade : « Bishop Lartigue [...] formally ordered the clergy of the diocese of Montreal, on January 8th, 1838, to refuse the sacraments and Christian burial to unrepentant rebels. »

Donc les interventions épiscopales se manifestèrent avec éclat et entraînèrent l'échec de l'insurrection. Presque tous

---

[5] *The French Canadians*, p. 164. Le texte français de cette traduction se trouve dans *Notre Maître le Passé* de l'abbé Lionel GROULX, deuxième série, Montréal, Granger Frères, 1936, p. 92.
[6] *Ibid.*, p. 169.

les historiens anglo-protestants qui ont étudié la question en conviennent.

C'est Cart Wittke [7] qui écrit :

> A determining factor in the situation was the Church. [...] In pastoral letters read in the churches, some of the bishops issued warnings against the deadly sin of rebellion, even threatening the penalties for those who should participate in this forbidden movement.

J.M.S. Careless [8] se montre là-dessus non moins catégorique :

> Lack of leadership, weak support, the presence of regular troops and, above all, the opposition of the Church, had made the rebellion hopeless.

Arthur Dorland [9] ne se dérobe nullement, lui non plus, à l'évidence :

> The moderate elements in Lower Canada held aloof and, what was most important of all, the Roman Catholic Church officially banned it.

Stanley B. Ryerson [10] s'engage dans la même voie :

> The Church played a powerful part in helping to bring about the defeat of the Rebellion.

W.P.M. Kennedy [11] brode sur le même thème :

> In November the first shots were fired in a tragedy of civil war, and the first lives were sacrificed in Canada for a political idea. The Church saved the situation.

Plus loin, avec une autre formule, il se répète :

> Why did French Canada not rise as a man in 1837 ? There are several answers. [...] The Church, however, was the deciding factor.

---

[7] *A History of Canada*, p. 107.
[8] *Canada*, p. 181.
[9] *Our Canada*, p. 209.
[10] *French Canada*, p. 47.
[11] *The Constitution of Canada*, pp. 114 et 160.

Ces témoignages réduisent à néant les allégations fausses des sectaires orangistes et autres qui, avec un grand fracas de formules arrogantes et d'affirmations arbitraires, en imposent quelquefois aux badauds. En cette crise, comme au cours de toutes les autres qui l'ont précédée ou suivie, l'épiscopat québécois, loin d'en être l'ennemi-né, s'est avéré le meilleur protecteur de la Couronne britannique.

* * *

Aujourd'hui Papineau n'est plus marqué — même dans le Canada anglais — des stigmates de l'opprobre et de la déloyauté.

> No one can deny [constate l'historien Brebner [12]], that they [Papineau et ses gens] were rendered desperate enough to venture their lives by grossly inequitable and inadequate colonial administration.

Nul n'a mieux restitué sa vraie physionomie au chef des patriotes que C.E. Fryer [13]. Au tome VI de la collection *Cambridge History of the British Empire,* l'auteur écrit :

> The eventual winning of responsible government meant the recognition of a distinctive Canadian statesmanship, hitherto, as in Papineau's case, repressed and frustrated. And amongst those who contributed to establish a statesmanship of this kind, Papineau takes a high place.

Le professeur Lower [14] apporte à la mémoire des patriotes anglo et franco-canadiens un hommage encore plus significatif :

> The Rebellions were blessings in disguise, the corner stones of Canadian nationhood.

Tous les esprits démocratiques rendent maintenant à Papineau une élémentaire justice. L'un des derniers à le

---

[12] *Canada,* p. 221.
[13] *Cambridge History of the British Empire,* p. 245.
[14] *Colony to Nation,* p. 256.

faire n'est autre que Mason Wade. Dans son récent ouvrage[15], le professeur américain a porté, sur le personnage, un jugement que ratifiera l'histoire :

> Today it is clear to French and English alike that Papineau was a great Canadian who played an important role in the evolution of Canada as a nation blending the political ideas of Britain, France and the United States.

Dans son ouvrage moins récent, mais sympathique, lui aussi, aux Canadiens français, Stanley B. Ryerson[16] élargit considérablement le débat, puisqu'il voit en Papineau et ses lieutenants les porte-parole de la « nation » canadienne-française :

> The democratic struggle for the French-Canadian people during the whole of the preceding period (avant 1840) had been a struggle for the right of national self-determination, for their right, as a nation, to choose their own form of state.

---

15 *The French Canadians*, p. 195.
16 *French Canada*, p. 63.

IX. — L'Acte d'Union (1840)

À la suite des émeutes qui, en 1837, éclatèrent dans le Bas et le Haut-Canada, l'Acte constitutionnel de 1791 fut suspendu et remplacé par un « Acte pour établir des dispositions temporaires pour le gouvernement du Bas-Canada ».

Entretemps arrivait à Québec lord Durham chargé d'enquêter sur la situation dans le Bas et le Haut-Canada.

Il ne passa que quelques mois au pays. Néanmoins il réussit à rédiger un Rapport ou Mémoire devenu, en un tournemain, classique dans le monde anglo-saxon. Petit chef-d'œuvre, à certains égards, l'ouvrage n'en renfermait pas moins une erreur de taille.

Le noble lord s'imaginait qu'il suffit de quelques lignes, consignées sur parchemin, pour supprimer l'existence d'un peuple.

Car telle était bien l'une des recommandations majeures de Durham: « pulvériser la nationalité canadienne-française ». (« All was to be one, the separate laws and institutions, the separate language, everything, except the religion, which marked the French Canadian nationality. »)

En 1839, le Conseil spécial approuva la mesure préconisée dans le rapport de Durham : l'union des deux Canadas. Ainsi naquit en 1840 l'Acte d'Union ou « Acte qui réunit les provinces du Haut et du Bas-Canada pour le gouvernement de la *Province du Canada* ».

Au sentiment des francophones de l'époque, cet Acte d'Union deviendrait bientôt le tombeau du Canada français. Il perpétrait à l'endroit du Bas-Canada d'odieuses injustices. Le professeur A.L. Burt [1], l'un des plus grands

---

[1] *A Short History of Canada for the Americans*, p. 158.

historiens du Canada anglais d'aujourd'hui — qui ne prête donc le flanc à aucune accusation de chauvinisme français — a dénoncé vigoureusement cet Acte d'Union. Ce long texte vaut d'être cité intégralement tellement il est catégorique et accablant :

> The Union Act was most unjust to the French. In the first place, Upper Canada had piled up a huge debt, while Lower Canada had contracted only a small one. The Act combined them as the debt of the United Canada and thereby shifted a heavy financial load from English to French shoulders. Even more distasteful to the French was another provision of the Act making English the only official language and thus depriving the French tongue of the status it had shared equally with English in Lower Canada. Greater still was the injury that the act inflicted by giving to Upper Canada the same number of seats in the new legislature that it gave to Lower Canada, though the population of Upper Canada was scarcely three quarters that of Lower Canada. This was to prevent the French, who were still the majority of the total population, from having anything more than a helpless minority in the assembly, for they were out-numbered in the English-speaking districts of Lower Canada. They were gagged and crushed.

Minorité impuissante, bâillonnée, écrasée : juste image du Canada français, dans la Chambre d'Assemblée, en 1840.

Il s'ensuivra une guerre froide qui sévira, dans un Canada prétendument uni, de 1840 jusqu'à la Confédération de 1867.

Promis au tombeau, le peuple canadien-français s'arcbouta sur sa détermination de demeurer fidèle à ses origines et à son destin. Au vrai, par un curieux retour de la fortune qui si souvent atteste la vicissitude des choses d'icibas, l'Acte d'Union, tombeau du Canada français — comme le croyaient du moins les anglicisateurs — se métamorphosa en pierre de touche du caractère de nos pères : l'outil perfide devint un instrument de salut.

Hâtons-nous toutefois d'ajouter que, entre 1840 et 1867, se produisit pour le Canada français une catastrophe majeure. Probablement la pire de toutes celles qui ont affligé notre peuple au cours d'une existence déjà vieille de plus de trois cents ans. En règle générale, nos manuels d'histoire n'en parlent pas. Raison de plus alors pour la crier sur les toits.

La voici dans toute sa nudité : vers 1850 le Canada français devint minoritaire dans son propre pays.

Ennemi par excellence du Canada français, George Brown déclencha sans plus tarder une campagne anticatholique qui devait durer près de vingt ans en arborant un étendard bien à lui : la représentation basée sur la population, la « Representation by Population » ou, selon la populaire abréviation, « Rep. by Pop. »

Impossible de bien comprendre ce slogan si on néglige de jeter un coup d'œil rétrospectif sur la longue bataille démographique que se sont livrée, depuis 1760, les deux principaux groupes du pays.

C'est sur cette toile de fond qu'apparaît, dans toute sa hideur, le « Rep. by Pop. » de George Brown.

X. — La domination canadienne-française, obsession du Canada anglais

On prête à Talleyrand une savoureuse anecdote. « L'alliance, aurait-il dit, de l'Angleterre et d'une autre nation, c'est l'alliance du cavalier et du cheval. » Alliance puissante qui peut mener loin son homme. Mais c'est toujours l'autre nation qui doit faire le cheval.

Depuis 1850, un Canada anglais majoritaire est uni à un Canada français minoritaire.

Situation tragique pour le peuple canadien-français. C'est, en Amérique du Nord, une nouvelle alliance du cavalier et du cheval : cavalier anglais et cheval français.

Or ce cheval est fatigué de jouer son rôle de cheval. Il veut vivre sa vie propre sans tutelle ni contrainte. Fi d'une vassalité surtout utile au cavalier.

Ce rôle de cheval jamais les Anglo-Canadiens n'ont consenti à le soutenir.

Aujourd'hui encore plutôt que de subir la *French Domination*, la majorité d'entre eux réclamerait l'annexion aux États-Unis. Par contre, la sujétion du Canada français à des anglophones leur paraît être la chose la plus naturelle au monde.

Comme quoi la perspective change selon que l'on se trouve de l'un ou de l'autre côté de la barricade.

Depuis plus de deux siècles, les Anglo-Canadiens ont remué ciel et terre — et toujours avec succès — pour échapper à la *French Domination*. Voici un résumé trop succinct de cette longue bataille démographique.

* * *

Au lendemain de la Conquête, après le départ des troupes britanniques, les 75.000 Canadiens durent faire face à environ 200 Anglais, marchands et fonctionnaires pour la plupart. Le pays renfermait donc environ 350 fois plus de Français que d'Anglais.

En 1766, Francis Masères arriva au pays. Le nouveau procureur général du Canada commençait à peine à s'acquitter de ses hautes fonctions lorsque parvinrent à ses oreilles plusieurs réclamations des Anglo-Canadiens. L'une d'entre elles s'exprimait avec véhémence : ces anciens sujets exigeaient l'établissement, au Canada, d'un gouvernement représentatif, gouvernement, il va sans dire, d'où les catholiques, en vertu du serment du Test, seraient exclus.

Nanti d'une droiture native, Masères refusa d'appuyer de pareilles prétentions.

Le professeur Reginald Coupland [1] a égrené, sur ce sujet, quelques réflexions opportunes :

> Masères [...] could not swallow their doctrine of race ascendancy and support their plea for a purely Protestant legislature. "An Assembly so constituted, he said, might pretend to be representative of the people there, but in truth it would be representative of only the 600 new English settlers and an instrument in their hands of domineering 90,000 French."

Donc, en 1766, 600 Anglais s'opposaient à 90.000 Français. Donc un Anglais contre 150 Français et non plus contre 350 comme en 1760. La situation des Anglais s'était nettement améliorée, mais elle demeurait encore tragique. Comment lutter un contre 150 ?

Pour se soustraire à l'exécrée « domination française », un seul radeau de sauvetage s'offrait aux Anglo-Canadiens : l'immigration britannique. Ce radeau sera utilisé pendant plus de deux siècles.

---

[1] *The Quebec Act.*, p. 85.

Au vrai, cette idée de noyer la population française du Canada dans les flots d'une immigration britannique devint, aux lendemains de la Conquête, la hantise des gouvernants canadiens et des hauts fonctionnaires de Londres.

> After the cession [remarque le professeur Coupland [2]] the government did everything in its power to encourage immigration.

La Proclamation royale de 1763 offrit aux colons britanniques des terres à un prix très bas. Lucide observateur de la vie canadienne, le professeur Burt [3] en donne la raison :

> The offer of cheap lands and a free government might draw a solid English-speaking and Protestant population from the old colonies.

L'Acte de Québec, de 1774, ne comportait pas l'établissement d'une assemblée représentative. Et les Anglo-Canadiens de maugréer jusqu'au jour où elle leur fut accordée, lors de l'adoption de l'Acte constitutionnel de 1791.

Il y avait alors, au Canada, 156.000 Canadiens français et 10.000 Anglo-Canadiens. Les Canadiens français étaient donc quinze fois plus nombreux que les Anglo-Canadiens. La démocratie doit obéir à la loi du nombre sous peine de se renier elle-même. Or, dans le Canada de 1791, la démocratie se renia purement et simplement.

Parmi les 50 députés de la Chambre d'Assemblée se trouvaient 16 Anglophones, alors que 4 députés eussent amplement suffi à les représenter. Seuls comptaient vraiment les Conseils législatif et exécutif. Or, sur 16 conseillers législatifs 7 seulement étaient Français ; sur 9 conseillers exécutifs, 4 Français.

---

[2] *The Quebec Act*, p. 3.
[3] *The Old Province of Quebec*, p. 86.

C'était bel et bien l'asservissement de l'écrasante majorité canadienne-française à l'infime minorité anglaise. Ceux qui se demandent pourquoi la démocratie ne s'est jamais tellement bien portée, au Canada français, trouvent ici la source même, l'explication majeure de ce comportement.

En 1810, la majorité française du Canada accusait, avec la minorité anglaise, un contraste encore frappant. Jonathan Sewell en était inconsolable. L'anticatholique et anti-français juge en chef du Bas-Canada ruminait un ténébreux projet : « overwhelm and sink the Canadian population » ; écraser et noyer la population française. Comment réaliser le projet ? Par l'union du Haut et du Bas-Canada.

Voilà bien le germe — en 1810 — de l'Acte d'Union de 1840 où la majorité canadienne-française connaîtra une nouvelle sujétion à la minorité anglo-canadienne.

Entretemps plusieurs « loyalistes », anciens colons américains ayant émigré vers le nord, avaient accru les effectifs des Anglo-Canadiens du Haut-Canada. Cet appoint américain comportait toutefois un risque. Un risque que Jonathan Sewell voulait bien courir. « Mieux valait, écrivait-il, courir le risque de l'annexion aux États-Unis que de maintenir la prépondérance française au Canada. » L'union du cavalier et du cheval, soit ! Mais à la condition que le cavalier soit un Anglo-Saxon.

En 1822, le projet de Sewell s'incarna, à Londres dans le bill d'Union — bill heureusement mort-né — de lord John Russell. Bill conçu dans l'iniquité, il avait pour principal objet d'accorder aux Anglophones un plus grand nombre de représentants qu'aux Francophones sans égard au fait que la population de la province française dépassait, quant au nombre, celle de la province anglaise.

On obtenait ce résultat avec un tour de passe-passe : des fantômes de députés anglais, représentant diverses régions des Cantons de l'Est, alors à peu près inhabités, ajoutés aux députés du Haut-Canada et l'on obtenait une majorité de députés anglophones.

En 1830, de nouvelles fourberies s'insinuèrent dans l'esprit de certains Anglo-Canadiens toujours déterminés à obtenir coûte que coûte une majorité fictive dans un Canada français majoritaire.

Un premier moyen consistait à enlever la ville de Montréal au Bas-Canada pour l'intégrer au Haut-Canada.

Un autre moyen : détacher la Gaspésie du Bas-Canada et l'octroyer au Nouveau-Brunswick. Un autre moyen, car ces ennemis du Canada français ne manquaient pas d'imagination : tailler à même le Bas-Canada une nouvelle province constituée par les Cantons de l'Est.

Grâce à la venue au pays des « Loyalists » américains, la situation des Anglo-Canadiens continue de s'améliorer du point de vue numérique. D'abord un contre 350 en 1760, puis un contre 150, puis en 1791 un contre 15, ils deviennent, à la veille de l'insurrection de 1837, plus du tiers de la population totale du pays, c'est-à-dire, en chiffres ronds, 450.000 Anglo-Canadiens contre 650.000 Franco-Canadiens.

Après l'insurrection de Papineau et de ses patriotes, en 1837, arrive lord Durham qui rédige, en 1838, son fameux *Rapport* ou *Mémoire*.

Au sentiment du rapporteur, le Canada français est voué à la fusion totale dans le creuset anglo-saxon de l'Amérique du Nord. Avec son regard d'aigle, Durham a bien vu que, en dépit de leurs nombreuses professions de foi loyaliste, les Anglo-Canadiens aimeraient mieux s'annexer aux États-Unis que de subir la « domination française ».

« Lower Canada must be English at the expense, if necessary, of being British. »

La recommandation, que renfermait le rapport de lord Durham, d'assimiler le Canada français au Canada anglais se cristallisa dans l'Acte d'Union de 1840. En vertu de cet acte, les 450.000 Anglo-Canadiens et les 650.000 Franco-Canadiens eurent un nombre égal de députés : 42 pour le Haut-Canada anglais et 42 pour le Bas-Canada français.

Bon nombre d'historiens ont dénoncé l'odieuse manœuvre dictée par une politique assimilatrice.

En juillet 1849, des tories mécontents se réunirent à Kingston et fondèrent la *British American League*. Ils préconisaient l'annexion du Canada aux États-Unis. Leur manifeste était muni de nombreuses signatures en majeure partie anglophones. On devine la principale cause de cette ferveur annexionniste : la volonté d'en finir avec la menace de la *French Domination*.

Et bon nombre des signataires ne prennent, en aucune façon, figure de menu fretin. Sur cette liste se trouvent les noms des personnalités que voici : D.L. Macpherson, ultérieurement lieutenant-gouverneur de l'Ontario ; John Rose, plus tard sir John Rose, ministre des finances dans le cabinet de sir John A. Macdonald ; J.J.C. Abbott qui deviendra, en 1891, sir John Abbott, premier ministre conservateur du Canada. W.H. Moore a bien raison de faire observer que « they were not insignificant men who thus strove to pull down the Union Jack on Canadian soil ».

Feu de paille, ce mouvement annexionniste ? Feu de paille qui menaça de dégénérer en conflagration. Donald Creighton nous apprend que, pendant l'été de 1849, le *Herald,* le *Courier,* la *Gazette* et le *Witness,* quatre journaux anglophones de Montréal, s'étaient ralliés au principe de l'annexion aux États-Unis.

Cette belle unanimité s'inspirait de la crainte de la *French Domination*. Écoutons là-dessus trois historiens anglo-canadiens : R.G. Trotter [4], Donald Creighton [5] et John Lewis [6].

Le premier a écrit :

> To the Orange members, with their anti-Catholic sentiments, its greatest recommendation was the promise which it held of freeing the country from the dangers of French domination.

Le deuxième affirme :

> Annexation would give the upper province a seaport. It would rescue Montreal from the "feudal barbarisms and withering prejudices" of Lower Canada.

Comme son prédécesseur, le troisième n'y va pas de main morte :

> A manifesto signed by leading citizens of Montreal advocating annexation to the United States [...] to settle the race question forever by bringing to bear on the French Canadian the powerful assimilating forces of the republic.

Pourquoi ne pas ouvrir ici une parenthèse, à propos de John Abbott, et signaler un incident cocasse dans la carrière du futur premier ministre du Canada.

Il aurait donné beaucoup, comme on le pense bien, pour effacer à tout jamais cette signature qu'il avait apposée imprudemment sur cette liste des annexionnistes de 1849. Il lui était toutefois impossible de supprimer un document public et déjà vieux de quarante ans, en 1889.

Alors sénateur avant de devenir premier ministre deux ans plus tard, l'honorable John Abbott voulut expliquer et excuser, une fois pour toutes, cette fameuse signature

---

[4] *Canadian Federation*, 1924, p. 15.
[5] *The Commercial Empire of the St-Lawrence*, p. 224.
[6] *George Brown*, Toronto, 1906, p. 37.

que lui reprochaient ses adversaires et qui entachait son loyalisme.

Le 15 mars 1889, il décida de s'ouvrir là-dessus à ses collègues du Sénat.

À l'entendre, le jour n'est pas plus pur que le fond de son cœur. L'astucieux compère se compare, lui et les siens, à l'enfant qui vient de naître :

> There was not a man who signed that Manifesto [en 1849] who had any more serious idea of seeking annexation than a petulant child who strikes his nurse has of deliberately murdering her.

Le mot fait image. À n'en pas douter, nul enfant qui frappe le sein de sa nourrice ne forme des projets meurtriers contre sa bienfaitrice.

Mais, comme le proclame le vieux proverbe, comparaison n'est pas raison.

Après avoir versé sur ses amis, comme il le croyait tout au moins, une eau lustrale les purifiant de toute souillure, l'honorable John Abbott donne à la vérité historique ce qui est bel et bien une entorse.

Avec une parfaite désinvolture, le bon apôtre affirme que le peuple était en effervescence, en 1849, par suite de l'adoption du bill accordant des indemnités à ceux qui avaient subi des pertes, lors de l'insurrection de 1837.

Et l'honorable John Abbott d'ajouter : « within *two or three days*, while still under the influence of this excitement a number of them signed this paper ».

Within *two or three days* ? Prenons le madré compère en flagrant délit de mensonge intéressé. Il aurait dû avouer que, entre l'adoption du bill controversé et la signature de la pétition annexionniste, il s'était écoulé non pas deux ou trois jours, mais bien cinq ou six mois !

Et le professeur Trotter [7], auquel nous sommes redevable de tous ces savoureux détails, d'ajouter narquois :

> It is a commentary on the fallibility of human memory that the "two or three days" were in reality five or six months. The Rebellion Losses Bill was assented to on the 25th of April 1849 and the Parliament Buildings in Montreal were burned that night; the Annexation Manifesto was not published until October 1849.

En ce jour du 25 avril 1849, a écrit le professeur Donald Creighton [8],

> The Conservatives of Montreal had gone almost as far as the rebels of 1837 in their appeal to force; and before the year was out, they went even further in their departure from the British connection; that autumn of 1849 over a thousand merchants and politicians from Montreal signed a manifesto advocating the annexation of Canada to the U.S.

Et la professeur Burt [9] de synthétiser magistralement en une formule lapidaire, ce douloureux épisode de l'histoire du Canada anglais :

> Though it is not true in arithmetic, it is true in Canadian history that forty-nine equals thirty-seven.

Oui, 1849 égale 1937... toutefois à cette exception près.

En 1837, bon nombre de patriotes canadiens-français qui réclamaient l'annexion du Canada aux États-Unis furent pendus ou exilés.

En 1849 — seulement douze ans plus tard — pas un seul des tories anglophones qui réclamaient la même annexion ne fut pendu ou exilé. Plusieurs d'entre eux, comme

---

[7] *Canadian Confederation*, p. 22.
[8] *Dominion of the North*, Toronto, 1944, p. 261.
[9] *The Evolution of the British Empire and Commonwealth*, p. 266.

nous l'avons déjà constaté, exercèrent ultérieurement de hautes fonctions et même les plus hautes.

Ici comment ne pas penser aux vers immortels de La Fontaine :

> *Selon que vous serez puissant ou misérable*
> *Les jugements de la cour vous rendront blanc ou noir.*

Bref, de 1760 à 1850, les Anglo-Canadiens ont remué ciel et terre pour échapper à la prépondérance numérique du Canada français même si, pendant ces 90 ans, ce sont toujours eux qui ont mené le bal et se sont adjugé honneurs et faveurs administratives au détriment de la majorité canadienne-française.

* * *

Mais voici bien une autre affaire : vers 1850, le Canada français perdit sa prépondérance numérique au profit du Canada anglais. Le recensement de 1852 accorde au Haut-Canada 950,000 habitants et 890,000 habitants au Bas-Canada.

Un Canada anglais majoritaire ! Le vœu si souvent formulé par les Anglo-Canadiens est enfin exaucé.

Et dès lors s'orchestrera, sous la conduite du fanatique George Brown, et se développera dans la presse anglo-canadienne un thème que l'on cornera, jusqu'à la Confédération, aux oreilles de nos pères : la représentation basée sur la population ou le « Rep. by Pop. »

L'injustice que voulait redresser Brown, les Canadiens français en étaient les victimes depuis 1840. Pourquoi ce traitement, bon pour eux pendant une dizaine d'années, devenait-il soudainement mauvais pour Brown et ses gens ?

Et Brown de poursuivre sa campagne de haine dans son journal, le *Toronto Globe* qui devint la Bible du protestantisme ontarien. Ses colonnes affichaient à tout propos les mots d'ordre, les slogans : « No Popery » ; « No French Canadian Domination », c'est-à-dire : « À bas la papauté et la domination canadienne-française. »

En 1867, au régime depuis longtemps discrédité de l'Union de 1840 succéda un autre régime : la Confédération.

Or les Canadiens français, en règle générale, redoutaient le régime confédératif. On en devine la raison : la seule province francophone du Québec s'unissait aux trois provinces anglophones de l'Ontario, du Nouveau-Brunswick et de la Nouvelle-Écosse. Le Canada français devenait donc encore plus minoritaire qu'il ne l'avait été de 1850 à 1867.

En somme, le vainqueur par excellence du tournoi confédératif, celui qui en sortait avec les trophées de la victoire, c'était non pas Charles Tupper, non pas Georges-Étienne Cartier, non pas même Macdonald, mais bien George Brown, fougueux ennemi du Canada français.

Avec la Confédération, Brown obtenait enfin le redressement d'un grief majeur — grief formulé depuis une quinzaine d'années — et décrochait ainsi une timbale de grande taille : la représentation d'après la population. Son célèbre *Rep. by Pop.* devenait ainsi une vivante et permanente réalité.

Ce fut le triomphe de George Brown, en cette fin d'octobre 1864, alors que fut adopté, à Québec, avec les grandes lignes de la Confédération, le principe même du *Rep. by Pop.* repoussé jusque-là par tous les ministères que l'Union avait engendrés de 1840 à 1867.

George Brown exultait. À Anne, sa femme, il écrivit, le 27 octobre 1864, une lettre où il jette le cri du cœur : « Is it not wonderful ? French Canadianism entirely extinguished !» On cueille le précieux renseignement dans un récent ouvrage de Donald Creighton [10]. Et l'auteur de caractériser ainsi l'exultation de Brown : «A yell of triumph» ; «un hurlement de triomphe».

Au sentiment de Brown, la Confédération assurerait la disparition de la prétendue domination française et, par voie de conséquence, l'assujettissement du Canada français, désormais minoritaire pour de bon, à la majorité canadienne-anglaise.

Quel gigantesque cheval de Troie que l'Acte d'Union n'avait pu introduire dans le Canada français et qui, grâce à la Confédération, s'installait à demeure dans une enceinte jusqu'alors jalousement gardée.

Brown et les siens auraient eu lieu de pavoiser leurs maisons, leurs rues et leurs monuments pour célébrer l'étonnante victoire.

C'était enfin l'union, pendant un siècle et plus, du cavalier et du cheval : cavalier anglais et cheval français.

Majorité, minorité : ces mots se buttent l'un contre l'autre à chaque page de l'histoire du Canada depuis la Conquête. Depuis 1760, le drame canadien se déroule sur la toile de fond de l'intolérance des Anglo-Canadiens, d'abord minoritaires jusqu'en 1850, puis majoritaires de 1850 jusqu'à nos jours.

---

[10] *The Road to Confederation*, p. 184.

XI. — Le Pacte fédératif de 1867

Avant de disserter sur le pacte fédératif, il conviendrait assurément de démontrer que ce pacte existe. Car certains juristes en nient l'existence même.

Le professeur Donald Creighton[1] s'est constitué leur porte-parole lorsqu'il a écrit :

> The British North American provinces were not independent states, but integral parts of the Empire. They could not, as the *London Times* observed "delegate their sovereign authority to a central government because they do not possess the sovereign authority to delegate". The new Canada was not the result of a compact or treaty between free and autonomous provinces; it was the creation of the Imperial Parliament...

Les provinces canadiennes, parties intégrantes de l'Empire britannique, avant 1867 : c'est l'évidence même. Le professeur voit en elles des manières d'enfants mineurs qui n'ont pas atteint l'âge fixé par la loi pour disposer de leur personne ou de leurs biens. Du point de vue juridique, il a raison.

Mais, en plus des *provinces,* il y avait alors au Canada deux *peuples,* deux *nations* en puissance sinon en acte. En théorie, les chefs de ces deux peuples ne pouvaient traiter d'égal à égal avec l'Angleterre : dans la pratique, ce sont bel et bien ces chefs qui, après s'être entendus et avoir conclu un accord, un pacte au moins virtuel, l'ont soumis au gouvernement britannique qui l'approuva et le promulgua sous la forme de l'Acte de l'Amérique du Nord britannique.

En d'autres termes, la « création » du Parlement impérial ne fut pas *ex nihilo,* selon la formule des anciens scolasti-

---

[1] *Dominion of the North*, p. 307.

ques, mais plutôt la ratification formelle d'une entente négociée entre les représentants des Canadiens anglais et des Canadiens français, entre les chefs politiques John A. Macdonald et Georges-Étienne Cartier.

Faire fi de ces antécédents, c'est afficher une méconnaissance de l'histoire du Canada. Examiner l'Acte de l'Amérique du Nord britannique du seul point de vue juridique, sans tenir compte du point de vue historique, c'est s'attacher à la lettre — la lettre qui tue — et négliger l'esprit, l'esprit qui vivifie la loi régissant actuellement le Canada.

Légistes et jurisconsultes qui se bornent à interpréter cette loi sans se référer à son contexte historique risquent de s'y emberlificoter tels certains anciens notaires perdus dans leurs grimoires.

Évitent de se laisser prendre dans pareil traquenard de grands juristes qui sont aussi de grands historiens. Parmi eux se range un universitaire distingué dont l'ouvrage magistral comptera bientôt quarante ans d'existence. Ouvrage qui, en ancune façon, n'a vieilli et dont la lecture s'impose à tous ceux qui se penchent aujourd'hui sur le problème de la coexistence des peuples anglo-canadien et franco-canadien.

Entre autres grandes vérités, le professeur Reginald Coupland [2] — puisque c'est de lui qu'il s'agit — a énoncé celle-ci :

> By the federation of 1867, in fact, Canadian public opinion adopted and endorsed the policy of the Quebec Act : for the creators of federal Canada were not the British Government but the leaders of the Canadian people.

---

[2] *The Quebec Act*, p. 193. Disons une fois pour toutes que c'est nous qui soulignons certains mots des citations qui suivront.

Le professeur R.G. Trotter, autrefois chef du département d'histoire du Canada, à l'Université Queen's, de Kingston, partage cette opinion :

> For the first time in history a group of colonies were united politically, *on their own initiative,* and with the blessing of the imperial government to form a new nation.

Le professeur Chester Martin [3] abonde, semble-t-il, dans le sens du professeur Trotter :

> Lord Bryce refers to the "Canadian Constitution" as having been *prepared by a group of colonial statesmen* in 1864 and enacted in 1867 by a statute of the British Parliament.

Stanley B. Ryerson [4] infirme, lui aussi, la thèse du professeur Creighton quand il écrit :

> The Confederation compact was the outcome of an agreement not merely between separate colonies, *but between the ruling classes of two nationalities.*

Comment pourrait-il en être autrement quand on n'ignore pas que Georges-Étienne Cartier, en l'occurrence chef politique des Canadiens français, a tenu un rôle de premier plan dans l'édification de la Confédération. Sans sa collaboration active, nulle confédération n'eût été possible.

C'est exactement ce que le professeur Trotter [5] a consigné noir sur blanc : « Without Cartier federation would have been impossible... »

Le professeur George Brown [6] dit-il autre chose quand il écrit :

> From Quebec came Georges-Étienne Cartier without whose statesmanship, it is safe to say, *French Canada could not have*

---

[3] *The Charters of our freedom,* p. 66.
[4] *Empire and Commonwealth,* p. 327.
[5] *Canadian Confederation,* p. 318.
[6] *Building the Canadian Nation.* L'auteur ignore sans doute que Jacques Cartier n'a pas eu de descendance.

been brought into Confederation ; his name, prophesied one of
his colleagues, would rank in Canadian history with that of his
illustrious ancestor, Jacques Cartier.

Épousant la même thèse, D.M. Le Bourdais[7] la motive
ainsi :

> First place has been given by writers to Cartier, and his
> claim is great ; *without the concurrence of the 1,200,000 Cana-*
> *dians for whom he spoke, Confederation would have been im-*
> *possible.*

Enfin Mason Wade [8] admet, lui aussi, que la cheville ou-
vrière de la Confédération fut non pas John A. Macdonald,
mais probablement Cartier :

> *Confederation owed more to him, perhaps, than to any*
> *other single man* ; for without him it would have been im-
> possible.

Bref, ces historiens — et combien d'autres — chantent
à l'unisson la même antienne : nulle confédération possible
sans l'acquiescement du Québec. Et, en cette conjoncture,
c'est Cartier — et lui seul — qui pouvait rallier la majorité
des suffrages canadiens-français. Car les Canadiens français craignaient instinctivement le projet confédératif qui
les transformait en une minorité au sein d'une majorité
anglo-canadienne. Même avec l'ascendant de Cartier, la
Confédération obtint, de justesse, un majorité dans le Québec. Le professeur A.L. Burt [9] l'a noté avec à-propos : « As
it was, *nearly half the French members* voted against
federation. »

En faut-il davantage pour démontrer l'inanité de l'argument de ceux qui prétendent que c'est Londres — et
Londres seule — qui a créé la Confédération ? La Confédération n'est pas sortie, telle une nouvelle Minerve, armée

---

[7] *Nation of the North,* p. 22.
[8] *The French Canadians,* p. 309.
[9] *A Short History of Canada for Americans,* p. 175.

de pied en cap, du cerveau métropolitain de Londres. À toutes fins utiles, la Confédération fut un pacte conclu entre le peuple canadien-anglais et le peuple canadien-français par l'intermédiaire de leurs représentants attitrés : John A. Macdonald et Georges-Étienne Cartier.

Même Pierre-Elliott Trudeau [10] tient la Confédération pour un « accord de deux parties » :

> Il suffirait de soutenir que l'Acte de 1867 fut une loi du Parlement impérial, mais une loi fondée sur l'accord de deux parties qui se fédéraient et donc une loi qu'on ne saurait bien comprendre et interpréter (et par la suite amender) qu'en tenant compte de l'esprit de cet accord.

Ce pacte était assujetti à certaines conditions précises. Les plus importantes d'entre elles se rapportaient à la situation sur le plan scolaire, des minorités des quatre provinces qui entrèrent les premières dans la Confédération.

Car des minorités existaient dans chacune de ces provinces : minorité protestante dans le Québec ; minorité catholique en Ontario, dans la Nouvelle-Écosse et le Nouveau-Brunswick. Comment protéger les droits et privilèges scolaires de chacune de ces minorités au sein de la majorité de chaque province ? Car l'éducation, c'est-à-dire l'instruction publique, relevait de l'autorité de chaque province.

Ici il convient de pulvériser dans l'œuf une légende qui a la vie dure dans le Canada anglais. Légende qui a pris naissance dans certaines officines d'extrémistes et s'est propagée même dans les milieux bien pensants. Elle pourrait s'énoncer comme suit : « si les écoles dissidentes ou séparées existent au Canada, c'est parce que les évêques catholiques en ont réclamé l'existence. Ce sont eux qui ont attaché le grelot. »

---

[10] *Le Fédéralisme et la Société canadienne-française*, Montréal, 1967, p. 139.

Erreur monstrueuse ! En cette matière, les évêques catholiques auraient pris une louable initiative ? C'est bien ce que proclame l'histoire, à cette différence près que, en fait, c'est exactement le contraire !

Il faut dire et redire que ce sont d'abord les Protestants du Québec qui se sont émus. Ce sont eux qui ont attaché le grelot. C'est la minorité anglo-protestante du Québec — l'enfant gâté du Québec — qui, la première des minorités, eut la frousse en songeant qu'elle devait désormais, en ce qui avait trait à ses droits et à ses privilèges scolaires, s'en remettre à une majorité franco-catholique. Elle qui devait être, par la suite, traitée là-dessus avec tant de justice et de générosité, elle craignit d'abord d'être l'objet d'injustices et de mesquineries.

C'est pourquoi, sous la direction de son chef Alexander Tilloch Galt, l'un des Pères de la Confédération, elle n'eut de cesse qu'elle n'eût obtenu, en la matière, des garanties formelles inscrites dans la nouvelle constitution du pays.

Le 23 novembre 1864, à Sherbrooke, Alexander Tilloch Galt [11] déclare à ses partisans :

> It must be clear that a measure would not be favorably entertained by the *minority of Lower Canada,* which would place the education of their children *in the hands of a majority of a different faith.* It was clear that in confiding the general subject of education to the local legislature, it was absolutely necessary it should be accompanied with such restrictions as would prevent injustice in any respect being done to the minority. Now this applies to Lower Canada, but it also applies with equal force to *Upper Canada and the other provinces.*

Maints historiens anglo-protestants ont corroboré cette assertion par des faits commentés sans parti pris. Un dis-

---

[11] F.A. WALKER, *Catholic Education and Politics in Upper Canada,* p. 293.

cours que prononça, le 2 mars 1892, M. James Fisher, membre de l'Assemblée législative du Manitoba est, à ce sujet, explicite :

> From the beginning to the end of it [le débat qui s'était alors engagé sur la Confédération], there was hardly a question raised about the rights that were to be protected by these educational clauses, *except for the Protestants of Lower Canada.* Hardly one word. [...] The House will now see how utterly far from the truth is the oft-repeated and generally accepted statement that the educational clauses of the Confederation Act, protecting the rights of the minority in respect to education, was a concession to Roman Catholic demands.

Cette remarque qui ne manque ni de pertinence, ni d'opportunité, nous la devons à l'éminent juriste J.S. Ewart [12].

On la trouve aussi consignée dans un remarquable ouvrage, trop peu connu du grand public et même des spécialistes, qui émane de la plume de George M. Weir [13] ancien chef du département de l'éducation de l'Université de la Colombie-Britannique :

> There is a widespread but erroneous belief to the effect that the Roman Catholics of Upper and Lower Canada were primarily responsible for the introduction of the element of separatism into certain of our school systems. *Rather is the opposite conception the true one, and to the Protestants of Quebec does this distinction ultimately belong.*

On a bien lu, dans cette dernière citation, les mots *element of separatism.* Il y a quelques années, les Orangistes ont publié une brochure intitulée : *Segregation is wrong.* C'est une diatribe contre les écoles séparées — et, en l'occurrence, catholiques — de l'Ontario accusées d'avoir introduit ce prétendu chancre dans la vie canadienne. Ce pamphlet est adressé à la minorité catholique de l'Ontario !

---

12 *The Manitoba School Question,* p. 211.
13 *The Separate School Question in Canada,* p. 28.

Fausse adresse : c'est à la minorité protestante du Québec qu'il aurait dû, en tout premier lieu, être envoyé.

Ce sont d'abord les protestants du Québec qui ont réclamé, pour eux, des écoles dissidentes ou séparées. Ce sont eux qui ont préconisé, les premiers, le principe de la ségrégation dans les écoles canadiennes. Sir Wilfrid Laurier n'ignorait pas cette vérité. Il l'a rétablie en 1905, lors du débat soulevé à propos des écoles de la Saskatchewan et de l'Alberta, comme le rapporte Mason Wade [14] :

> After emphasizing the minority provision of the British North America Act had been created *at the instance of the Protestants of Quebec,* Laurier explained the new clause...

Les protestants du Québec ayant ainsi ouvert la voie aux écoles dissidentes, les catholiques de l'Ontario s'y engagèrent avec résolution. M. James Fisher [15], membre de l'Assemblée législative du Manitoba, en 1892, dans le discours susmentionné, l'a admis sans équivoque :

> The only suggestion that was made on behalf of Roman Catholics was that if, in answer to the demands of the Protestants of Lower Canada, these safeguards were given, *it would be only fair that the Catholics of Upper Canada should have the same protection accorded them.*

Accorder, sur le plan scolaire, à la minorité catholique de l'Ontario ce que reçoit, sur le même plan, la minorité protestante du Québec ; rien de plus, mais rien de moins : telle fut l'impérieuse consigne, répétée plusieurs années avant la Confédération, pendant les discussions que suscita le projet de loi, et même de nos jours, par les catholiques ontariens. Mais n'anticipons pas. Et revenons à la situation faite, du point de vue scolaire, aux minorités des quatre provinces qui entrèrent dans la Confédération en 1867.

---

[14] *The French Canadians,* p. 539.
[15] *The Manitoba School Question,* p. 211.

En matière d'instruction publique, chaque province jouissait d'une autonomie considérable, mais nullement totale.

L'article 93 de l'Acte de l'Amérique du Nord britannique fut conçu dans le dessein de protéger les droits scolaires, des minorités canadiennes catholiques et protestantes. Il stipule que chaque province aura le droit exclusif de légiférer sur l'enseignement. Ce droit est toutefois assujetti à quatre dispositions limitatives, dont la troisième accorde un droit d'appel au gouverneur général en son Conseil, au cas où une minorité s'estimerait victime d'une injustice ; quant à la quatrième, elle permet à l'autorité fédérale d'intervenir et d'édicter une loi réparatrice afin de rendre justice à la minorité spoliée.

Ouvrons ici une importante parenthèse.

La troisième disposition limitative accordait, au vrai, une situation privilégiée à la minorité protestante du Québec. Et trop peu d'historiens ont jusqu'ici relevé le fait. Pourtant, dès le 2 mars 1867, la *Montreal Gazette* [16] le mentionne avec opportunité :

> The right of appeal, as an ultimate resort, will always operate [with] the effect of affording a check. And the *English-speaking Protestants of Lower Canada must not forget that their appeal will be to a preponderating majority of their own race and creed.*

Lorsque les Anglo-protestants du Québec interjetteraient appel à Ottawa — et, pendant un siècle, ils n'eurent jamais le moindre motif de le faire — ils se seraient adressés à une majorité d'Anglo-protestants. Tel ne fut pas le cas des catholiques du Manitoba, dépouillés de leurs droits sco-

---

[16] George M. WEIR, *The Separate School Question in Canada*, p. 31.

laires en 1890 et obligés de s'adresser, à Ottawa, à une majorité qui n'était pas *of their own race and creed.*

Tel fut le compromis majeur que durent accepter les Pères de la Confédération. Compromis qui n'est rien de moins que la clef de voûte de l'édifice confédératif : sans elle, toutes les autres pièces de l'édifice eussent croulé comme un château de cartes sous la chiquenaude d'un enfant.

Plusieurs Pères de la Confédération ont été là-dessus explicites. Et George M. Weir [17] a colligé, sur l'importante question, des témoignages qui ne prêtent le flanc à aucun doute. En voici quelques-uns.

Lisons-les à la loupe : ils n'ont rien de fastidieux ; ils méritent d'être reproduits en entier tellement ils sont significatifs.

C'est d'abord celui de l'honorable George Brown, ennemi-né des écoles séparées et, en premier lieu, adversaire farouche de John A. Macdonald :

> I admit that from my point of view this [c'est-à-dire le compromis scolaire] is a blot on the scheme before the House ; it is confessedly *one of the concessions from our side* that has been made to secure this great mesure of reform. But assuredly, I, for one, have not the slightest hesitation in accepting it as *a necessary condition of the scheme of union.*

La voix d'un autre Père de la Confédération rend le même son. Lors d'un discours prononcé le 10 mars 1875, l'honorable Alexander MacKenzie fit l'aveu que voici :

> For many years [...] I waged war against the principle of separate schools. I hoped to be able, young and inexperienced in politics as I then was, to establish a system to which all would ultimately yield their assent. Sir, it was impracticable in operation and impossible in political contingencies ; and consequently [...] when the Quebec resolutions were adopted in

---

[17] *Ibid.*, p. 26.

1864 and in 1865, which embodied the principle [that] should
be the law of the land, the Confederation took place under
the *compact* then entered upon. I heartily assented to that
proposition.

On a remarqué le mot *compact,* le pacte alors conclu.
Mot révélateur sur les lèvres de l'un des Pères de la Confédération, l'un des anciens premiers ministres du Canada.

Encore plus catégorique est la déclaration de sir Charles
Tupper, successeur de l'honorable MacKenzie Bowell. En
sa qualité de premier ministre, le chef conservateur prononça, en 1896, à la Chambre des Communes, à Ottawa,
des paroles qui valent leur pesant d'or :

> I say with knowledge that but for the consent to the proposal
> of Mr. Galt, who represented especially the Protestants of Que-
> bec, and but for the assent of that conference to the proposal
> of Mr. Galt, that in the Confederation Act should be embodied
> a clause which would protect the rights of minorities, whether
> Catholics or Protestants, in this country, *there would have been
> no Confederation.* [...] *It is significant that but for the clause
> protecting minorities, the measure of Confederation would not
> have been accomplished.*

Est-ce assez catégorique ? Sans un article intégré à la
constitution afin de protéger les droits scolaires des minorités catholiques ou protestantes, nulle Confédération n'eût
été possible. Il faut donc conclure que les droits scolaires
des minorités constituent la clef de voûte de la Confédération. De tous les compromis acceptés par les Anglo-Canadiens et les Franco-Canadiens, le compromis scolaire revêt
une importance suprême.

Telle est aussi la conclusion de J.S. Ewart [18] :

> A compromise was adopted — a compromise so essential
> *that without it confederation could never have taken place* (as
> Sir Oliver Mowat tells us) and the compromise was this, that

---

[18] *The Manitoba School Question,* p. 54.

the provinces should have jurisdiction over education, but should
in the exercise of that jurisdiction be subject to certain restrictions and limitations for the protection of minorities. These
restrictions and limitations were of two kinds — first, the provinces were to have no power to prejudicially affect any right or
privilege with respect to denominational schools which any class
of persons had by law at the date of the union, and second an
appeal should lie to the Governor-General in council whenever
any right or privilege of the religious minority was affected in
any province in which separate schools had been once established whether before or after the union.

Assurer la protection, sur le plan scolaire, des droits des
minorités protestantes et catholiques du Québec et de l'Ontario : telle fut la condition *sine qua non* de l'établissement de la Confédération.

* * *

Il y aurait maintenant lieu de se demander quelle fut
la situation des écoles dissidentes — ou protestantes —
du Québec avant 1867. Consultons encore là-dessus George
M. Weir [19] :

> Mr. A.T. Galt, finance minister in the Macdonald Govern-
> ment of 1864 and representative of the Protestant minority in
> Quebec, was likewise the able champion of the educational
> rights of his fellow Protestant citizens. [...] The Protestants of
> Quebec enjoyed liberal separate school privileges in the Province
> prior to Confederation. These privileges, nevertheless, were not
> adequately protected "by law". [...] To fortify their position
> [...] the Quebec Protestants aimed to secure two safeguards in
> particular : *the equitable distribution of government moneys for
> school purposes*; the establishment of a Protestant board of
> education to manage their own affairs.

Quant à la *Lower Canadian Protestant Education Society,*
elle manifestait des exigences encore plus grandes et plus
circonstanciées :

---

[19] *The Separate School Question in Canada,* p. 28.

> a separate department of education for Protestant children, a more convenient arranging of Protestant school districts, the assurance that in no case would Protestant be taxed for Catholic schools even where there was no Protestant School, and *special government grants for Protestant universities, normal schools, colleges, academies and high schools.*

C'est ce que nous apprend F.A. Walker [20] dans un substantiel ouvrage.

Et dire que, quelques années après la Confédération, la minorité protestante bénéficia de tous ces avantages, alors que la minorité catholique de l'Ontario fait entendre, sur le même sujet, des doléances auxquelles, dans bon nombre de cas, on n'a pas encore satisfait après un siècle de vie confédérative !

Car plusieurs années avant la Confédération, la minorité catholique de l'Ontario, par la voix de ses chefs ecclésiastiques et laïcs, pratiqua, dans le domaine de ses revendications scolaires, une politique rigide qui tient en une manière de mot d'ordre. Mot d'ordre qui pourrait ainsi s'énoncer : Nous, minorité catholique de l'Ontario, exigeons tout simplement ce que la minorité protestante a déjà obtenu dans le Québec.

Politique rigide, mais sage et marquée au coin de la justice et du bon sens. Ainsi les deux minorités seraient traitées sur un pied d'égalité ; nulle d'entre elles ne serait victime d'un passe-droit.

Une fois pour toutes, Galt [21], chef politique des protestants du Québec avant la Confédération, a admis le bien-fondé de cette thèse d'une élémentaire justice : « The same

---

[20] *Catholic Education and Politics in Upper Canada*, p. 294.
[21] George M. WEIR, *The Seperate School Question in Canada*, p. 29. Voir aussi F.A. WALKER, *Catholic Education and Politics in Upper Canada*, p. 294.

privileges belong to the one of right here as belonged to the other of right elsewhere. »

Tout ce qui est bon pour les protestants du Québec l'est également pour les catholiques de l'Ontario : consigne nullement ambiguë, promulguée par les chefs catholiques de l'Ontario et répétée depuis 1852 jusqu'à nos jours sans produire — il s'en faut de beaucoup — tous les résultats désirés. En fait foi l'histoire des crises scolaires en Ontario depuis plus d'un siècle.

Passons en revue ces témoignages tous orchestrés sur le même thème et, par conséquent, empreints d'une impressionnante unanimité.

Dès 1852, Mgr de Charbonnel [22], évêque de Toronto, écrit au docteur Ryerson : « We must have and we will have the full management of our schools, *as well as Protestants in Lower Canada.* » Et l'auteur du rapport de continuer avec cette explication :

> The [Roman Catholic] bishops claimed they wanted no "exclusive privileges" but only "that the law which governs the Separate Schools *in favour of the Protestants of Lower Canada, may be put in force in favour of the Catholics of Upper Canada".*

En 1853, Mgr de Charbonnel crut que l'heure de la justice et de l'équité avait enfin sonné pour les catholiques ontariens. Dès le mois de janvier de la même année, Mgr Turgeon ne lui avait-il pas adressé une lettre dans laquelle l'archevêque de Québec lui donnait l'assurance que l'honorable A.N. Morin veillait au grain. J. George Hodgins [23] en parle dans son ouvrage :

---

[22] *Historial Sketch of the Seperate Schools of Ontario and the Catholic Separate School Minority Report,* 1950, pp. 51, 53, 54. Voir aussi N. BURWASH. *Egerton Ryerson,* Toronto, 1906, p. 226.

[23] *The Legislation and History of Separate Schools in Upper Canada,* Toronto, 1897, p. 66.

> The Honorable A.N. Morin... assured me [c'est-à-dire Mgr Turgeon] that himself and his colleagues were in the firm resolution to give the [Roman] Catholics of Upper Canada *the same advantages which the Protestants in our part of the Province enjoy.*

L'Acte scolaire de 1853 combla tout d'abord Mgr de Charbonnel [24] comme en témoigne sa lettre pastorale, en date du 9 juillet 1853, consignée en partie dans l'ouvrage de Hodgins :

> Owing to the equity of our Legislature, dearly beloved brethren, the Catholic minority of Upper Canada are to enjoy, for the education of their children, *the same advantages enjoyed by the Protestant minority of Lower Canada.*

Euphorie qui bientôt, hélas ! se dissipa : une étude plus approfondie de la loi obligea Mgr de Charbonnel à déchanter.

Mais l'évêque de Toronto ne jette pas là-dessus le manche après la cognée. Il continue à remuer ciel et terre pour atteindre son objectif : l'égalité de traitement scolaire des catholiques du Haut-Canada et des protestants du Bas-Canada. Pressenti, le vicaire général L.-J. Casault écrit à Mgr de Charbonnel, le 18 août 1853, une lettre, traduite en partie dans l'ouvrage de Hodgins [25] :

> I have seen Mr. Hincks. Your school question vexes him very much... If the law is not interpreted as necessary, a new one shall be enacted, in *order to require imperiously that the Roman Catholics of Upper Canada shall be treated with the same liberality as the Protestants of Lower Canada.*

Et l'historien [26] anglo-protestant de faire observer un peu plus loin que, dans une lettre que Mgr Guigues adressa à Mgr de Charbonnel, l'évêque d'Ottawa demande simple-

---

24 *Ibid.*, p. 71.
25 *Ibid.*, p. 73.
26 *Ibid.*, p. 81.

ment, pour les catholiques ontariens une loi scolaire semblable à celle qui régit les protestants du Québec.

Mgr de Charbonnel [27] revint à la charge. Le 17 novembre 1855, après avoir énuméré six injustices criantes contre lesquelles réclament depuis longtemps les catholiques de l'Ontario, il écrit : « *None of those fetters shackle Protestants in Lower Canada.* »

« Ne faites pas aux autres ce que vous ne voudriez pas qu'on vous fît à vous-même » : maxime évangélique dont s'inspire sans cesse Mgr de Charbonnel et plusieurs autres chefs qui lui succéderont. En règle générale, les chauvins anglo-protestants de l'Ontario n'en tiennent aucun compte : ils posent des actes persécuteurs à l'endroit de leurs concitoyens de foi catholique, sans se soucier des répercussions qui pourraient porter atteinte à leurs frères protestants du Québec. John A. Macdonald fait exception à cette règle.

Le 23 février 1855, il démontra péremptoirement qu'il ne pactisait pas, ce jour-là, tout au moins, avec les adversaires acharnés des écoles séparées. S'inspirant, peut-être à son insu, de la maxime évangélique dont nous venons de parler, John A. Macdonald [28] prononça un remarquable discours où, entre autres vérités, il énonça celle-ci :

> As a Protestant, I should not be willing to send my son to a Roman Catholic School, *while I think a Roman Catholic should not be compelled to send his to a Protestant one.*

Puis il profita de la circonstance pour préciser, sur le sujet, sa pensée [29] :

> The system in vogue there [dans le Bas-Canada] *is more liberal than even ours,* in that it not only permits the establishment *of Protestant Schools for Protestant children, but allows*

---

[27] *Historical Sketch of the Separate Schools in Ontario,* p. 54.
[28] George HODGINS, *The Legislation and History...,* p. 100.
[29] *Ibid.,* p. 101.

*the whole Municipal machinery to be employed to collect the
rates to maintain them.*

Le 5 mai 1856, George Brown, adversaire fougueux des
écoles séparées, présenta à l'Assemblée législative une mo-
tion comportant l'abolition de ces écoles. Un certain Felton,
député protestant du Bas-Canada, lui répondit. Mais passons ici la plume à l'historien F.A. Walker [30] :

> Felton [...] answered Brown, disclosing that Brown was a
> strange defender of Protestantism, since the effect of his motion
> woud be *"to shut up every Protestant School in Lower Canada."*

En cette même année 1856, toujours soucieux d'obtenir
une égalité de droits et de privilèges scolaires pour les
deux minorités, les évêques ontariens demandent que le
surintendant des écoles séparées en Ontario ne soit pas un
ministre protestant [31]. Quelles véhémentes protestations
eussent élevées les protestants du Québec si leur surintendant eût été un prêtre catholique !

Et voici bien une agréable surprise : en 1858, le docteur
Ryerson [32] lui-même, créateur et animateur du système
scolaire ontarien apporte — malgré lui, sans doute — un
peu d'eau au moulin des écoles séparées. Pour une fois —
une fois qui n'est pas coutume — il préconise — en principe tout au moins — la générosité à l'endroit des catholiques et de leurs écoles. Pour une fois, il met en balance
le traitement des minorités dans le Québec et l'Ontario et
il écrit tout uniment :

> I appeal to the judgment and heart of every just man in
> Upper Canada — *whether the Roman Catholics of Upper Cana-
> da are to be treated with less justice and liberality than the
> Protestants of Lower Canada ?*

---

[30] *Catholic Education and Politics...*, p. 188.
[31] *Ibid.*, p. 163.
[32] *Historical Sketch...*, p. 90.

On cueille cette surprenante interrogation dans une lettre que le docteur Ryerson adressait alors à George Brown, ennemi-né des écoles séparées. Ceci explique peut-être cela !

En 1864, le *Canadian Freeman* [33], périodique catholique, invite les catholiques du Haut-Canada à exiger, pour leurs enfants, les mêmes droits scolaires que ceux dont jouissent les protestants du Québec.

Vers la fin de cette année 1864, c'est-à-dire au mois de décembre, Mgr Lynch écrivit à John A. Macdonald une lettre significative. L'évêque de Toronto situe la question des écoles séparées en Ontario dans des perspectives exactes. Au dire de l'auteur du rapport [34],

> he [Mgr Lynch] was glad to find that *the Catholic minority of Upper Canada is put in the balance, as regard religion and education, against the Protestant minority of Lower Canada. We will ask no right or privileges for ourselves that we will not see with pleasure granted to others.*

Nous voici maintenant arrivés à l'année 1865. Encore quelques mois et ce sera la Confédération. En cette année surtout, les catholiques de l'Ontario exécuteront la consigne qui leur a été donnée depuis longtemps et réclameront avec énergie une égalité de droits et privilèges scolaires entre eux et les protestants du Québec.

Le 9 février, il faut verser au dossier une pièce importante : elle provient de la plume de D'Arcy McGee [35], Irlandais catholique, l'un des Pères de la Confédération :

> I will say this, that if there are to be any special guarantees or grants extended to the Protestant minority of Lower Canada, *I think the Catholic minority in Upper Canada ought to be placed in precisely the same position — neither better nor worse.*

---

[33] *Catholic Education and Politics*, p. 294.
[34] *Report of the Royal Commission on Education in Ontario*, 1950, p. 868.
[35] *Ibid.*, p. 472.

Le 16 février 1865, le *Canadian Freeman* [36] note qu'un certain O'Reilly vient d'émettre le vœu que voici : « Catholics in Upper Canada [should] receive the *same advantages in higher education as the Protestants in Lower Canada.* » Égalité de droits et de privilèges entre la minorité catholique de l'Ontario et la minorité protestante du Québec à tous les paliers scolaires : paliers primaire, secondaire et universitaire. Quoi de plus juste ? À défaut de quoi l'égalité de traitement n'est qu'une mauvaise plaisanterie.

En février et en mars de cette année 1865, si l'on en croit le rapport minoritaire [37] de la *Royal Commission on Education,* publié à Toronto en 1950,

> Roman Catholics from Upper Canada presented numerous petitions to the Legislature requesting that, in the event of Confederation, *Catholics in Upper Canada be granted the same rights as the Protestant minority in Lower Canada.*

En cette matière, les catholiques de l'Ontario formulaient de sérieux griefs dès 1865. Le 19 janvier 1865, à l'issue d'une réunion de catholiques à Toronto, il fut décidé de présenter une pétition [38] à l'Assemblée législative du Haut-Canada. Or voici quelques lignes révélatrices de cette pétition :

> *Lower Canadian Protestants had many important privileges which the Catholic minority in Upper Canada did not possess :* [...] a university, normal school, numerous endowed academies and grammar schools, *nearly four times the amount of money which is granted by the Legislature for the purpose of Catholic education in Upper Canada.*

Le 18 mars 1865, c'est le docteur Ryerson [39] qui récidive, diraient les adversaires des écoles séparées, toujours sur le même sujet. Au rédacteur en chef du *British Whig,* de Kingston, il écrit :

---

[36] F.A. WALKER, *Catholic Education* ..., p. 296.
[37] *Historical Sketch* ..., p. 66.
[38] F.A. WALKER, *Catholic Education* ..., p. 295.
[39] Report of the Royal Commission ..., p. 867.

No one can reasonably blame Roman Catholics in Upper Canada *for desiring any privileges granted to Protestants in Lower Canada,* other things being equal.

Après avoir pris connaissance de tous ces témoignages qui embrassent une période préconfédérative de quinze ans et chantent la même antienne, à savoir l'égalité de traitement qui devrait être accordée, sur le plan scolaire, à la minorité catholique de l'Ontario, comme à la minorité protestante du Québec — rien de plus, mais rien de moins — n'y a-t-il pas lieu d'affirmer que ce vœu, cette consigne, cette exigence à laquelle ont souscrit les évêques ontariens, quelques ecclésiastiques du Québec, Cartier, Macdonald, D'Arcy McGee et plusieurs autres personnages, constitue l'authentique essence du pacte fédératif ?

Ce qui fortifie cette croyance, c'est le comportement de certains Anglo-Ontariens — à commencer par le docteur Ryerson — en cette année 1865, en présence des revendications des catholiques de l'Ontario. Revendications basées sur ce que réclament et ont déjà obtenu, en certains cas, les protestants du Québec. Ces Anglo-Ontariens protestants se rendent bien compte que l'octroi d'un privilège ou d'un droit scolaire à la minorité protestante du Québec entraîne, en toute équité, l'octroi du même privilège ou du même droit à la minorité catholique de l'Ontario. Et comme certains d'entre eux veulent accorder le moins possible à cette minorité catholique, ils en viennent à s'impatienter des réclamations — jugées intempestives — des Anglo-protestants du Québec. Si la majorité catholique du Québec acquiesce aux demandes de sa minorité, la majorité protestante de l'Ontario serait moralement forcée d'emboîter le pas, au grand dam des adversaires des écoles séparées.

Bref, ces Anglo-Ontariens déplorent *in petto* une trop grande générosité du Québec qui leur force la main ! Ils abandonneraient volontiers à leur sort leurs frères protestants du Québec pourvu qu'ils eussent, eux protestants de l'Ontario, l'entière liberté d'octroyer, au compte-gouttes et de mauvaise grâce, quelques parcelles de privilèges scolaires à leur minorité catholique. Comme quoi la générosité n'est pas — il s'en faut de beaucoup — leur qualité maîtresse !

C'est le remuant docteur Ryerson lui-même qui appuie d'un exemple probant cette assertion que d'aucuns qualifieront peut-être de jugement téméraire. Ouvrons encore une fois là-dessus l'ouvrage de Hodgins [40].

Conscient de l'agitation des catholiques ontariens, en 1865, au sujet de leurs écoles séparées, le docteur Ryerson s'efforce d'en diagnostiquer la cause. Au sentiment de Hodgins,

> the cause of this renewed agitation, Dr. Ryerson very properly ascribed to the movements then in progress "of a *certain number of Protestants in Montreal* ... prompted by the *Montreal Witness* ... who makes pretentions and claims to a *separate everything*, from the Chief Superintendent of Education down to the humble teacher.

Separate everything : on a remarqué l'expression pleine de dédain. On sent que ce séparatisme — séparatisme anglo-protestant du Québec, ne l'oublions pas — donne sur les nerfs du créateur du système scolaire ontarien.

À ceux qui oseraient récuser l'autorité de Ryerson en cette matière, il importe de produire une pièce encore plus probante : le témoignage de l'honorable John Rose [41], de la circonscription de Montréal Centre au Conseil législatif de Québec. Un des chefs politiques des Anglo-protestants de la métropole, il aborda le même thème que Ryerson, en 1865, lors des discussions que suscitait le projet de Confédération :

---

[40] *The Legislation and History*, p. 193.
[41] *Historical Sketch*, p. 67.

Speaking in the Legislative Council, Rose recalled that the Catholic majority in Lower Canada had always been most generous to the Protestant minority, and he felt that even now they would grant the modifications in the education laws demanded by the Protestant school supporters. *The obstructors to these reforms were the Protestants of Upper Canada who were reluctant to grant similar changes to the Catholic minority there.*

Quel violent contraste s'accuse ici entre la générosité du Québec et l'intolérance de l'Ontario.

*   *   *

Il reste à démontrer que, grâce à la générosité du Québec, la minorité anglo-protestante sut tirer parti de la Confédération de 1867, alors que, en raison de l'intolérance de l'Ontario, la minorité catholique de cette province dut se contenter d'un très défectueux système scolaire qui empirerait au cours des années ultérieures et jusqu'en ces tout derniers temps.

John Rose, nous venons de la constater, ne craignait nullement que la majorité catholique du Québec n'accédât aux demandes scolaires des Anglo-Québécois protestants. De quelles demandes s'agissait-il ? De plusieurs, en vérité, et notamment du droit d'obtenir un partage équitable des taxes provenant des « corporations », c'est-à-dire des sociétés neutres ou compagnies munies d'une charte. Georges-Étienne Cartier répondit sur-le-champ à John Rose. Le procureur général du Bas-Canada, en sa qualité de chef politique du Canada français, promit de satisfaire à toutes les demandes des Anglo-protestants du Québec (Hon. G.E. Cartier, Attorney General, Canada East, *promised that the government would accede to all these requests* [42]).

---

[42] *Historical Sketch*, p. 68.

Mais — et ce fut là une très désagréable surprise pour les catholiques de l'Ontario — John A. Macdonald refusa de suivre l'exemple de Cartier (John A. Macdonald, Attorney General, Canada West, *refused to commit the ministry on a like bill for Upper Canada*).

Première reculade de Macdonald qui serait bientôt suivie d'une deuxième.

Le 31 juillet 1866, Hector Langevin présenta son projet de loi relatif aux écoles du Bas-Canada. Projet qui — est-il besoin de le faire observer — rendait pleine justice aux Anglo-Protestants du Québec. Partisan de l'égalité de traitement accordé aux deux minorités, le député Robert Bell fit savoir qu'il présenterait un semblable bill relatif aux écoles du Haut-Canada. Bill équitable si jamais il en fut ! Comme disent les Anglais : what is sauce for the goose is sauce for the gander. Comment ce qui était un remède pour le Bas-Canada pouvait-il se transformer en un poison pour le Haut-Canada [43] ?

Toutefois — et ce fut là une deuxième désagréable surprise pour les catholiques de l'Ontario — le 7 août 1866, donc une semaine seulement après la présentation du projet de loi d'Hector Langevin, John A. Macdonald annonça aux membres de l'Assemblée législative que son gouvernement ne donnerait aucune suite aux deux projets de loi [44] !

Ce retrait des deux projets de loi ne se justifie pas, mais s'explique, dans une certaine mesure tout au moins, quand on n'oublie pas que, quelques jours auparavant, l'infatigable et puissant docteur Ryerson s'était opposé, en termes virulents, au projet du député Bell. La rage des chauvins protestants de l'Ontario se trouvait-elle alors à son faîte montée ? Macdonald redoutait-il un commence-

---

[43] F.A. WALKER, *Catholic Education and Politics*, p. 306.
[44] *Ibid.*, p. 309.

ment de guerre civile ? Les positions conservatrices seraient-elles ainsi menacées en Ontario ? Toujours est-il qu'il estima plus sage, politiquement parlant, de ne plus aller de l'avant.

La question scolaire constituait donc une véritable barricade qui séparait alors le Haut-Canada et le Bas-Canada. De quel côté de la barricade s'épanouissaient la justice, la tolérance, la magnanimité ? Où se situaient l'injustice, l'intolérance, la mesquinerie ? Il serait cruel d'insister.

Cette double dérobade provoqua, dans les milieux catholiques du Canada anglais, une criante injustice. L'auteur du rapport minoritaire de la *Royal Commission on Education in Ontario* la consigne, noir sur blanc, en une simple phrase [45] :

> *It was left, therefore, to the French Catholic majority in its own Legislature to grant Protestant demands.*

Et les mêmes demandes des catholiques de l'Ontario ? Bernique ! C'était donner blanc-seing aux protestants de l'Ontario ! C'était mettre dans les mains des extrémistes de cette province une arme perfide !

C'était surtout empoisonner la source même du pacte fédératif, conclu quelques mois plus tard, et engendrer en Ontario un siècle de discorde scolaire.

*   *   *

Car désormais les catholiques de l'Ontario, du point de vue scolaire, auraient au pied plusieurs épines. La plus grave d'entre elles, celle qui, avec le temps, se révélerait de plus en plus pernicieuse et injuste ne serait rien d'autre que l'impossibilité dans laquelle, à toutes fins utiles, ils se trouveraient d'obtenir leur part des impôts scolaires

---

[45] *Historical Sketch,* p. 71.

versés par les « corporations », c'est-à-dire les compagnies, les sociétés incorporées, les sociétés neutres et aussi par les compagnies de la Couronne, les municipalités, le gouvernement provincial et le gouvernement fédéral.

En 1865, John Rose avait demandé, pour ses concitoyens protestants du Québec, entre autres choses, « *The distribution of taxes from incorporated companies*[46]. » Et Georges-Étienne Cartier avait tout de suite promis de rendre aux Anglo-Protestants du Québec cette élémentaire justice.

Pourtant, en 1865, la question ne revêtait pas du tout l'importance qu'elle devait acquérir un siècle plus tard. Et pour la raison que voici : au moment de la Confédération, ces compagnies étaient plutôt rares.

À cette époque et même au début du siècle, se trouvait souvent, à l'angle de deux rues de nos villes, l'épicier du coin, le boucher du coin ou le cordonnier du coin. Cet épicier, ce boucher, ce cordonnier étaient-ils catholiques ? Ils versaient alors leurs impôts scolaires aux écoles catholiques. Dans le cas contraire, leurs impôts allaient aux écoles publiques. Et tout le monde était satisfait.

Au cours du XXe siècle, cet individualisme sain a disparu, ou peu s'en est fallu, au bénéfice d'immenses sociétés neutres, de compagnies anonymes, de gigantesques magasins en série qui paient leurs impôts à l'école publique. Cette évolution n'est pas terminée. C'est donc dire que, d'année en année sinon de jour en jour, les écoles publiques voient leurs impôts s'accroître, tandis que les écoles séparées voient les leurs diminuer d'autant. Ces dernières doivent se contenter d'une portion de plus en plus congrue.

---

[46] *Historical Sketch,* p. 68.

Cette vérité n'a pas échappé à l'auteur [47] du rapport minoritaire de 1950, puisqu'il a noté :

> The lack of adequate machinery for an equitable division between public and separate schools of *ever increasing amount* of school taxes paid by corporations and public utilities.

L'article 65 de la loi des écoles séparées de l'Ontario est empreint, semble-t-il, d'un esprit de justice. Ne permet-il pas à une compagnie mixte de payer une partie de ses impôts scolaires aux écoles séparées ? George M. Weir [48] a prévu l'objection ; il la réfute en un tournemain :

> According to Section 65 of the Ontario Separate School Act, a corporation *may* [...] require a part of its property and business to be rated and assessed for separate school purposes. There is *nothing mandatory* about this provision ... The above section appears to be *somewhat defective in its application to mixed companies* whose shareholders are partly Protestant and partly Roman Catholic.

L'application de cet article s'est avérée, à toutes fins utiles, impossible. Le savent mieux que quiconque les gérants des succursales outaouaises de deux banques canadiennes-françaises obligés, bien malgré eux, de verser les impôts scolaires de ces institutions aux écoles publiques, alors que presque tous leurs actionnaires et leurs clients sont catholiques.

Et pourtant, les compagnies, en tant que telles, ne sont ni protestantes, ni catholiques, ni théistes, ni athées, mais neutres. Le même George M. Weir [49] l'a noté avec une pointe d'humour :

> Companies are *neither Protestant nor Roman Catholic* whatever be the denominational affiliations of their shareholders. Companies are *impersonal*. They have *no religious convictions* and, in the majority of cases, probably little conscience.

---

[47] *Report of the Royal Commission,* p. 805.
[48] *The Separate School Question,* p. 140.
[49] *Ibid.,* p. 185

C'est donc perpétrer une cinglante injustice à l'endroit des catholiques ontariens que de forcer ceux d'entre eux qui sont actionnaires ou clients de compagnies mixtes à verser leurs impôts ailleurs qu'aux écoles séparées. Toujours observateur impartial en la matière, George M. Weir [50] l'admet sans ambages :

> In point of fact taxes collected from the majority of mixed companies in Ontario *are available only for public school purposes*... An amendment to Section 65 above, similar to that introduced in Saskatchewan in 1913, would probably *remove the prejudice* to which separate school supporters in Ontario consider themselves subjected as a result of the practical working out of the permissive clause now in the Act.

Et l'auteur de renchérir sur ce qu'il vient d'écrire. Cette citation est longue. Mais nous ne nous en excuserons pas auprès du lecteur : jamais un universitaire anglo-canadien et protestant n'a mieux percé le purulent abcès :

> Moreover Section 65 of the Ontario Act makes no reference to *public utilities, municipal or provincial* of which separate school supporters, along with other ratepayers are owners. Roman Catholics [...] separate school supporters in Ontario, therefore, are *deprived of any share of public utility assessments* [...] There is indeed a lurking suspicion in the minds of not a few impartial observers in Ontario that *sectarian prejudice* has been largely responsible for the continuance of a condition that *deprives separate schools of a fair share of the taxes of corporations and public utilities*. As a result of the actual working out of Section 65, it seems inevitable that the tax rate for separate schools, especially in the larger industrial areas, should be considerably higher than the rate for public schools [...] the continuance of the present *discriminatory condition* in the allotment of public utility and corporation taxes would appear *neither fair to separate schools nor in the public interest*.

Encore une fois, c'est un Anglo-protestant de la Colombie-Britannique qui crache son fait à son frère ontarien.

---

[50] *Ibid.*, p. 140.

Puis, il résume en un mot la situation que déplore tout homme de bonne foi :

> The Banner Province of Canada can scarcely afford to condone a section of the law which, in its present form, appears a *blemish*.

A *blemish* : c'est-à-dire une tache, une tare, une flétrissure. Terme nullement exagéré : il stigmatise un état de choses qui se perpétue depuis plus d'un siècle.

Ce jugement sévère mais objectif, George M. Weir le prononça en 1934. Plus récemment, un spécialiste de Toronto a, lui aussi, débridé la plaie.

Au cours des mois d'octobre et de novembre 1962, dans le *Globe and Mail* de Toronto, J. Bascom St. John a rédigé, sur la question scolaire en Ontario, une série d'articles opportuns et généralement marqués au coin de l'équité et de l'impartialité. Il ne nie pas l'existence de la flétrissure, du *blemish* dont parle George M. Weir. Lui aussi aimerait bien la voir disparaître. Mais comment s'y prendre pour apporter remède à cette honteuse situation ? Incapable de suggérer là-dessus le moindre redressement, il termine ainsi, avec pessimisme, le dixième de ses articles :

> Several efforts have been made to solve the problem, but so far no formula relevant to Ontario school law as it has always existed has been devised.

En d'autres termes, une situation — même honteuse — qui dure depuis plus d'un siècle risque bien de s'éterniser, faute de solution appropriée. Cette léthargie séculaire ne rendrait-elle pas inopérants les remèdes les plus énergiques ? Ainsi on invite discrètement les catholiques de l'Ontario à mettre une sourdine à leurs rodomontades ou à leurs réclamations jugées inopportunes.

Nous qui aimons appeler un chat un chat et Rollet un fripon, nous persistons à croire que le *blemish,* que souligne George M. Weir, n'est rien d'autre qu'un *vol légalisé.*

Et il serait impossible de faire disparaître ce vol massif et séculaire ? Quelles sornettes nous raconte-t-on là ! Et pourquoi aller chercher midi à quatorze heures quand, depuis près d'un siècle, une solution heureuse, éminemment pratique, est à la portée de la main : le système scolaire de la province de Québec. Il comporte une méthode merveilleuse de partager les impôts scolaires provenant des compagnies neutres et des sociétés d'utilité publique. Ici encore il convient de passer la plume à l'éminent historien des écoles séparées au Canada : George M. Weir [51] :

> Quebec has a *unique method* of distributing school taxes collected from incorporated companies [...] *"neutral panel"* taxes whereupon a share, based upon the relative number of pupils enrolled in the schools under each board, is alloted to the trustees.

La voilà, la solution rêvée, idéale, pratique : depuis près d'un siècle, elle a établi, dans le Québec, entre la majorité catholique et la minorité protestante, une paix stable. Paix qui ne fut presque jamais le fait de l'Ontario : le même George M. Weir [52] en convient en des termes dénués de toute équivoque :

> In no Province does the religious minority *enjoy greater educational freedom than in Quebec* [...] Quebec has never had its Manitoba School Question or such protracted litigation and bad feeling as were engendered in Ontario by the *ill-conceived and ill-fated Circular 17.* Indeed there is an *atmosphere of maturity and massive common sense* about the administration of the Quebec school system that tends to avert such occasions for racial and sectarian friction [...] In no Province is the spirit of the Fathers of Confederation, with reference to a satisfactory solution of the thorny problems arising from the educational "rights and privileges" of religious minorities better exemplified than in the Province of Quebec.

---

[51] *The Separate School Question,* p. 185.
[52] *Ibid.,* p. 176.

Quelques pages plus loin, l'auteur [53] enfonce le clou davantage :

> In language and religious matters at least there is an *atmosphere of freedom* about the administration of the Quebec School system that reflects the spirit of a more mature — and *perhaps more tolerant — civilization than that found in certain English-speaking Provinces where denominational schools are established.*

Il serait messéant d'omettre ici au moins une allusion aux immenses espoirs que M. John Robarts, ancien premier ministre de l'Ontario, a éveillés chez les Franco-Ontariens. Son nouveau mode de subventions à l'éducation devrait amener, avec le temps, le redressement d'injustices criantes. Pour la première fois dans l'histoire du Canada, un premier ministre anglo-canadien a admis que, lorsque les catholiques réclamaient leur part des impôts payés par des sociétés neutres, incorporées ou d'utilité publique, ils se plaignaient « *non sans quelque raison, devons-nous l'avouer* » (« *it must be admitted, with some justification* »).

Aveu officiel, infiniment précieux et qui constitue un précédent. Aveu qui corrobore implicitement l'accusation de « vol légalisé » antérieurement lancée. Aveu qui équivaut à une victoire pour les Franco-Ontariens, la plus importante depuis l'abrogation de l'inique Règlement 17.

Victoire véritable, mais incomplète. Le « vol légalisé » subsiste encore. Et à l'école primaire de l'Ontario persiste, pour les catholiques, une iniquité carabinée : à Ottawa seulement, près de mille enfants, issus de mariages mixtes, fréquentent les écoles séparées. Les pères de ces enfants sont des protestants honnêtes qui voudraient payer leurs impôts aux écoles séparées. La loi ontarienne les en empêche.

Ainsi se trouve foulé aux pieds un principe admis chez tous les peuples civilisés : tout homme qui travaille mérite

---

[53] *Ibid.*, p. 187.

salaire. Nos instituteurs qui instruisent ces enfants ne re-
çoivent pas un sou de ces pères protestants. Par contre,
les instituteurs des écoles publiques, qui ne remuent pas
le petit doigt pour ces enfants, bénéficient indirectement
de l'impôt versé par ces pères protestants dans la caisse
des écoles publiques.

Une minorité ontarienne de moins en moins puissante,
mais toujours bruyante — il s'agit des orangistes — ré-
clame toujours à cor et à cri la disparition des écoles séparées de la province. Elle s'attaque ainsi à la clef de voûte
de l'édifice confédératif.

D'autres Anglo-Ontariens — et ceux-là constituent probablement une majorité — déplorent l'existence même des
écoles séparées en Ontario. Partisans de l'école unique —
en Ontario, s'entend ; non pas dans le Québec ! — ils
rabâchent d'ennuyeuses constatations et, en hommes d'af-
faires qu'ils sont, ou qu'ils croient être, ils répètent à qui
mieux mieux leur refrain favori : les écoles séparées coûtent trop cher ! Ou encore: deux systèmes d'écoles coûtent
plus cher qu'un seul ! Ou encore : mieux vaut un seul bon
système que deux systèmes médiocres.

Tout la « littérature » anglo-ontarienne, au sujet des
écoles séparées, repose sur ce fragile fondement.

> One fact became abundantly clear [affirment les commissaires
> enquêteurs de 1950 [54]] ; namely, that a public school system
> without separate schools would, and must be, less costly, particu-
> larly to the Provincial Treasury, than a dual or separated system
> with its many duplications of buildings, administration, services
> and the like.

Presque tous les Anglo-protestants de l'Ontario acceptent
cette assertion comme parole d'Évangile. Or, ils se trompent du tout au tout ! Cette erreur qu'ils commettent à

---

[54] *Report of the Royal Commission*, p. 742.

longueur de journée, nul d'entre eux n'a encore essayé de
la redresser, dans ses écrits. Si nous nous trompons, on
voudra bien nous le laisser savoir avec pièces justificatives
à l'appui.

En règle générale, deux objets de même nature coûtent
plus cher que l'un de ces objets ; en ses plus beaux jours,
M. de la Palisse n'eût pas mieux dit. Il semble donc paradoxal d'affirmer que deux systèmes scolaires coûtent moins
cher qu'un système unique. Paradoxal ou non, c'est la vérité dans la ville d'Ottawa, capitale du Canada et château
fort des Franco-Ontariens. Et dans plusieurs autres villes
de l'Ontario.

Au cours de l'année académique 1962-1963, 24.567 élèves
fréquentaient les écoles publiques d'Ottawa ; 24.594 élèves
— donc 27 de plus — les écoles séparées. Disons que la
moitié de la population scolaire d'Ottawa allait à l'école
publique ; l'autre moitié, à l'école séparée.

Pour instruire ces enfants, l'école publique disposait
d'un budget qui s'élevait, en chiffres ronds, à 9 millions
et demi de dollars. Pour instruire un même nombre d'enfants, l'école séparée n'avait à sa disposition — toujours
en chiffres ronds, comme d'ailleurs tous les autres chiffres
qui suivront — que 5 millions et demi de dollars.

Différence de 4 millions de dollars par année. Différence
fort appréciable. Additionnons ces deux budgets: nous obtenons le chiffre de 15 millions de dollars. C'était la somme
requise, à Ottawa, au cours de l'année académique 1962-
1963, pour l'instruction de la population fréquentant l'école
primaire.

L'instruction de chaque enfant, dans les écoles séparées,
nécessitait une dépense de $230 ; dans les écoles publiques,
cette dépense s'élevait à $400.

Loin de nous la pensée de taxer de gaspillage les commissaires des écoles publiques. On les accuse quelquefois de consacrer des sommes importantes à l'achat d'accessoires, de *frills,* ou encore d'édifier de petits palais scolaires qui développent chez les enfants le goût du luxe. Accusation peut-être fondée, en certains cas, autrefois, mais qui ne semble plus l'être aujourd'hui. Et si là-dessus vous engagez avec eux un dialogue, ils vous démontreront par A + B qu'ils ont un besoin pressant de tous les dollars et de tous les sous inscrits à leur budget.

Par contre, les écoles séparées doivent abattre exactement la même besogne — avec 4 millions de dollars *de moins par année.* Il n'est pas besoin d'être grand clerc pour en venir à une conclusion qui s'impose. Pareil tour de force présuppose d'immenses sacrifices de la part des parents, du personnel enseignant et des élèves : des classes souvent surpeuplées, des écoles moins somptueuses, des salaires moins élevés, l'omission de tous les accessoires, l'obtention du strict nécessaire.

Or si, en cette année 1962-1963, les écoles séparées d'Ottawa avaient fermé leurs portes, les vingt-quatre mille et quelques enfants qui les fréquentaient auraient dû s'acheminer vers les écoles publiques obligées, de par la loi, à les recevoir. Leur population scolaire eût donc doublé ; elle eût passé de 24.567 à plus de 49.000 élèves. Et il leur en coûtait, ne l'oublions pas, en cette année-là, $400 pour instruire chacun de leurs élèves. Multiplions $400 par 49.000 élèves et nous obtenons, au bas mot, plus de 19 millions de dollars pour l'instruction, au palier primaire, de la population scolaire d'Ottawa, 19 millions qu'il aurait fallu trouver quelque part, sous le régime de l'école unique, alors que, sous le régime des deux systèmes d'écoles publiques et séparées, 15 millions ont suffi !

Donc épargne de 4 millions de dollars, à Ottawa seulement chaque année, grâce à la présence des écoles séparées.

Tous ces chiffres nous ont été fournis par la Commission des Écoles séparées d'Ottawa. Ils n'ont rien d'approximatif. Ils changent d'année en année, sans altérer substantiellement l'écart entre le budget de la Commission des Écoles séparées et celui de la Commission des Écoles publiques.

Telle était la situation à Ottawa en l'année 1962-1963. Nous n'avons pas eu le loisir de faire la même enquête dans les autres villes ontariennes où coexistent les écoles publiques et les écoles séparées. Mais, puisque partout en Ontario, l'école séparée fonctionnait à coups de pénibles sacrifices, il s'ensuit qu'elle économisait annuellement, partout comme à Ottawa, de fortes sommes.

*   *   *

Au vrai, la législation scolaire, en Ontario, semble avoir été conçue dans l'unique dessein de décourager les partisans des écoles séparées, écoles des minorités catholiques et notamment de la minorité franco-ontarienne.

Créateur de cette législation, Egerton Ryerson s'imaginait que ces écoles finiraient par disparaître en présence de la supériorité des écoles publiques. Ainsi serait assurée l'unité dite nationale ; c'était du moins son espérance.

Nombre d'Anglo-Canadiens croient encore dur comme fer que l'unité de langue, unité obtenue dans le creuset de l'école unique, constitue le meilleur facteur de l'unité nationale. Combien n'ont d'autre idéal que le « One school, one flag, one language ». Car de nos jours encore et notamment le 12 juillet, le « glorious twelfth », on peut lire ce slogan sur les bannières des orangistes.

Ces gens se trompent. Ils affichent leur profonde méconnaissance de l'histoire universelle, en général, et de l'histoire du Canada, en particulier.

Les Français de la Révolution parlaient tous la même langue et pratiquaient presque tous la même religion, ce qui ne les a pas empêchés de se livrer une guerre civile, l'une des plus sanglantes de l'histoire.

Quelques années avant la deuxième guerre mondiale, les Espagnols, tous catholiques, tous parlant la même langue, connurent les affres d'une guerre civile où, pendant des mois et des mois, la sauvagerie et la bestialité se donnèrent rendez-vous.

En 1775 commença la Révolution américaine, ce grand schisme du monde anglo-saxon où, pendant des mois et des années, s'affrontèrent, sur les champs de bataille de nos voisins du Sud, des hommes qui parlaient tous l'anglais et professaient presque tous le protestantisme. En cette dramatique conjoncture, Carleton fit appel aux Canadiens pour défendre la citadelle de Québec menacée par les armées américaines de Montgomery et d'Arnold. Alors on fut témoin d'un spectacle inusité. Spectacle d'un pittoresque achevé ! Certains Canadiens, qui ne parlaient pas l'anglais, répondirent à l'appel de Carleton. Ils se joignirent aux « habits rouges » pour repousser des envahisseurs qui, eux, parlaient un excellent anglais !

Ici comment ne pas citer une page maîtresse du regretté W.H. Moore [55]. Vieille d'une quarantaine d'années, elle n'a rien perdu de sa pertinence et demeure toujours d'actualité :

> Homogeneity is no assurance against the disruption of the States. [...] Our English-speaking Protestant Loyalist ancestors who fought against their English-speaking Protestant Revolutionary neighbor. [...] or did homogeneity in language save the United States from civil war in the eighteen-sixties. Protestant fought Protestant and in both armies English words were the words of command. The fact that the Englishman of Eng-

---

[55] *The Clash*, p. 302.

land and the American of the United States spoke the same language, in 1812, did not prevent them from fighting. We had a domestic clash of arms ourselves twenty-five years later and men did not divide upon *their manner of spelling freedom* but upon *their manner of thinking freedom*. No ! There is something better than "one school" and "one language" : it is *harmony in diversity*.

Le ciment qui tient unies toutes les pierres de l'édifice national, c'est non pas une unité, souvent factice et artificielle, de langue ou de foi — et encore moins un unique moule scolaire — mais plutôt un sentiment de justice et d'équité dont s'inspirent tous les citoyens à l'endroit de leurs frères, de ceux surtout qui sont membres d'une minorité.

* * *

Il y a une trentaine d'années, l'abbé Groulx [56] a écrit :

> Que l'épiscopat du Bas-Canada ait virtuellement tenu dans ses mains le sort de la Confédération naissante, nul, croyons-nous, n'en saurait disconvenir.

Vérité peu connue, même dans les milieux canadiens-français, et qui pourtant se démontre avec une précision quasi mathématique.

Posons d'abord un axiome politique que même un orangiste n'oserait mettre en doute : sans Cartier, nulle Confédération n'eût été possible. Axiome qui aujourd'hui rallie l'unanimité, ou peu s'en faut, des suffrages des historiens anglo-canadiens.

Pourquoi cette contribution de Cartier revêt-elle, aux yeux des historiens, une pareille ampleur ? C'est que les Canadiens français redoutaient instinctivement la Confédération, manière de traquenard où ils deviendraient une minorité à la merci, dans l'ensemble du pays, d'une ma-

---

[56] *Notre Maître, le Passé*, Montréal, 1936, tome I, p. 246.

jorité. S'en remettre à cette majorité anglo-protestante n'était-ce pas, pour eux, trahir leur destinée française et catholique ?

C'est L.-O. David qui a le mieux résumé l'opposition du Canada français à la Confédération. Ces paroles prophétiques, Stanley B. Ryerson [57] les a traduites dans son ouvrage qui demeure toujours d'actualité, même s'il a été rédigé il y a quelque vingt ans :

> Confederation is the realization of the projects engendered and nurtured for a century to subject Lower Canada to the domination and controlling influence of an English majority. [...] It is a disguised federal union. [...] The provincial legislatures, looked down upon, lacking in money and authority, will end by appearing to be luxuries too expensive and bothersome to be retained. In time of war, Lower Canada will be at the mercy of the federal government which will be able to force it to take up arms against its will.

Placées dans un contexte contemporain, ces prophéties prennent un puissant relief. Elles ont vivement impressionné Stanley B. Ryerson [58] qui les reprend à son compte :

> The French-Canadian attitude towards the Confederation proposals was dominated by a profound concern lest the right to their own state be denied them by the English-Canadian majority. Events proved that there was ample justification for that concern.

Tâche herculéenne que celle de rallier, en 1867, la majorité des Canadiens français au principe de la Confédération. Tâche ingrate, de longue haleine, à laquelle seul Cartier pouvait s'atteler. Arthur Lower [59] ne s'est pas dérobé à cette évidence :

> he [Cartier] alone was capable of allaying the suspicions of his people and removing from Confederation any suggestion of coercion.

---

[57] *French Canada*, p. 67.
[58] *Ibid.*, p. 64.
[59] *Colony to Nation*, p. 321.

Mais même avec l'ascendant qu'il exerçait sur ses compatriotes, Cartier laissé à ses propres ressources n'eût pu mener l'entreprise à bonne fin. Sans l'approbation de l'épiscopat québécois, il eût subi un retentissant échec. Et la Confédération ne fût jamais sortie de sa chrysalide, c'est-à-dire du cerveau de ses « Pères »

Cartier obtint pour son projet l'appui massif de presque tous les archevêques et évêques du Québec. Soudainement l'affaire changea de face : jusqu'alors combattue dans trois des quatre provinces fondatrices, la Confédération, forte de l'approbation du Haut et du Bas-Canada, voyait enfin le jour le 1er juillet 1867.

C'est donc, dans la personne de ses chefs, l'Église catholique qui rendit possible la naissance de la Confédération ; c'est l'Église catholique qui fit pencher la balance du côté des fédéralistes parmi lesquels se recrutait le gros des hommes d'État et politiciens du Haut-Canada. Quantité d'historiens anglo-protestants s'en sont félicités en termes clairs.

D'abord le perspicace Lower [60] :

> The attitude of the Church turned the scale ; pronouncements by the bishops approved the scheme.

Le professeur R.G. Trotter [61] abonde dans le sens du professeur Lower :

> But Cartier's strong hold upon his followers, reinforced by the influence of the Church, was sufficient to quiet the fears of most of the French.

Le professeur Burt [62] suit la voie tracée par plusieurs devanciers lorsqu'il écrit :

---

[60] *Ibid.*, p. 315.
[61] *The Cambridge History of the British Empire*, vol. 6, p. 458.
[62] *A Short History of Canada for Americans*, p. 175.

> There was some danger of the French being stampeded into wrecking the proposal [de la Confédération], but this was averted by their far-seeing leaders, particularly the bishops.

Et voici bien le plus catégorique d'entre eux : George M. Weir [63]. En effet, le professeur à l'Université de la Colombie-Britannique a écrit :

> Cartier required the support of the Roman Catholic Hierarchy of Quebec to hold his personal position. Without the support of the Hierarchy Confederation could not have been accomplished.

À ceux qui désireraient savoir de quelle façon s'est accomplie cette collaboration de l'épiscopat québécois, il suffit, pour accéder à leur désir, de citer deux auteurs : A.D. De Celles et Stanley B. Ryerson.

Le premier a rappelé que, au moment où fut proclamée la Confédération, chacun des évêques de la province de Québec, sauf Mgr Bourget, écrivit une lettre pastorale où il recommandait à ses ouailles d'accepter le nouvel état de choses.

Le second [64] est encore plus explicite :

> The Tories of 1837 had been able to rely on only a handful of French-Canadian turn-coats, in addition to the clerical leadership ; but the Tories of 1867 were able to neutralize popular opposition very successfully thanks to the collaboration of Cartier, Morin, Chauveau, Chapleau — the Quebec conservatives, spokesmen of the alliance of French-Canadian capitalist interests with those of the Galts, Molsons and Allens. And the efforts of the French-Canadian Conservatives were powerfully seconded by those of the Church hierarchy. In the election which followed the adoption of the British North American Act, the clergy in Quebec threw its whole weight into the contest, with forceful approval of the terms of the new Constitution.

---

[63] *The Separate School Question in Canada,* Toronto, p. 30.
[64] *French Canada,* p. 69.

Après avoir mentionné l'intervention décisive de Mgr Larocque et de Mgr Baillargeon dans cette affaire, l'auteur ajoute :

> Mgr Langevin, Bishop of Rimouski, speaking with added authority as a brother of one of the Cabinet Ministers, put the case in unanswerable terms: "You will respect this new constitution [...] as the expression of the supreme will of the legislator, of the legitimate authority, and consequently that of God himself.

Malgré de pareilles exhortations, la nouvelle constitution fut adoptée de justesse, dans le Québec.

*   *   *

Ici trois conclusions s'imposent. Même après la mobilisation générale de l'épiscopat québécois, les fédéralistes du Québec s'en sont tirés de justesse. Donc, sans cette mobilisation, ils subissaient la défaite ; sans cette mobilisation, la Confédération fût demeurée à l'état d'un beau rêve d'idéologues impénitents.

En second lieu que deviennent, en cette circonstance, les « Lower-Canadien slaves » dénoncés douze ans auparavant par George Brown le sectaire et fustigés, de nos jours encore, par les fils spirituels de Brown ? Ces prétendus « esclaves » ont opposé aux exhortations épiscopales une fin de non-recevoir avec un entrain et une cohésion qui ont failli mettre en minorité les fédéralistes québécois. Si ce sont là des « esclaves », nous avouons que le mot a perdu, pour nous, toute signification.

Enfin, en cette aventure fédérative, les avocats du diable ont toujours eu et ont encore beau jeu pour stigmatiser la conduite de l'épiscopat québécois coupable, à leurs yeux, de s'être immiscé dans une question discutable et discutée, d'avoir « fait de la politique » et d'avoir exercé sur leurs ouailles une influence « indue ». Telle est bel et bien l'accusation alors proférée par les « rouges » canadiens-français du Québec. Eux, au moins, ne sont pas demeurés muets comme carpes ; ils ont combattu le clergé visière levée.

Mais où sont donc consignées là-dessus les protestations des Anglo-Canadiens du Haut-Canada ? Nous les avons cherchées en vain dans les débats de l'époque et dans les ouvrages des historiens anglo-canadiens qui depuis se sont penchés sur ce passionnant problème.

L'adoption ou le rejet du projet confédératif ne constituait-il pas, pour les catholiques de 1867, une matière libre ne relevant nullement, que nous sachions, ni du dogme, ni de la morale ? Cette adoption ou ce rejet n'était inscrit ni dans les commandements de Dieu ni dans ceux de l'Église. Il y a donc là un cas typique sinon d'immixtion, au moins d'un semblant d'immixtion, dans un domaine purement temporel.

L'intervention de l'épiscopat québécois en faveur du projet confédératif de 1867 : quelle aubaine pour un avocat du diable, orangiste ou autre, friand de dénonciations de l'Église romaine ! Moment psychologique des mieux choisis pour stigmatiser cette Église immiscée dans la politique.

Ces dénonciations, nous les cherchons encore après avoir lu, la plume à la main, plus de deux cents histoires du Canada rédigées par des Anglo-protestants. Par contre, dans ces ouvrages, nous avons trouvé des chapelets de félicitations à l'adresse de ces évêques qui ont alors rendu possible la Confédération. Preuve péremptoire, entre plusieurs autres, que l'Anglo-protestant ne dénonce en aucune façon l'ingérence ecclésiastique quand elle lui profite ; c'est seulement quand elle nuit à ses intérêts qu'il s'y oppose et clame son indignation aux quatre vents du ciel.

*   *   *

Au cours d'un dialogue entre un Canadien français et un Anglo-Canadien, il arrive souvent que ce dernier, mis au pied du mur, invoque son suprême argument, comme il le croit tout au moins, et apostrophe ainsi son interlocuteur : « Vous autres, Canadiens français, vous avez perdu la bataille des Plaines d'Abraham ! Vous êtes des conquis ! »

La bataille des Plaines d'Abraham : dernier refuge de tout anglophone réduit à quia !

Rien de plus facile pourtant que de lui imposer de nouveau silence. Il suffit de proposer à sa méditation une seule assertion d'Arthur Lower. Car l'ancien professeur d'histoire à l'Université Queen's, à Kingston, a bel et bien déclaré, sans la moindre ambiguïté : « La Confédération a effacé la Conquête. » Mais passons la parole au grand historien [65] :

> Confederation obliterated the English conquest. The Act symbolized an agreement between the races to live and gave a formula to the solution of antagonism that had brought the wheels of government to a stop. French-speaking Canadians could only point to one or two specific clauses in hard legal support of their *rights,* but their claim would be that these were but "the evidence of things unseen", the crystallization into law of understandings reached behind the scenes, of the compromises and mutual confidence which alone could have brought forth Confederation. In Confederation, English and French, after a stormy courtship, took each other for better or for worse [...] and it must, like other marriages, create a reasonable degree of equality between the contracting parties.

Dans un autre de ses ouvrages, l'historien ressasse l'argument [66] :

> The plain truth is that it [Confederation] would never have been accomplished had not the French minority assumed that it was being given a coordinate place with the English.

---

[65] *Colony to Nation,* p. 333.
[66] *Canada,* Berkeley, 1950, p. 458.

L'essentielle lacune du pacte confédératif tient en un mot : les Canadiens français se croyaient désormais associés à titre *d'égaux* (a *coordinate* place, comme le dit si bien Arthur Lower) aux Anglo-Canadiens.

Bien avant Lower, sir John A. Macdonald avait proclamé, dès 1890, que tous les Canadiens sont absolument égaux

> having equal rights in every kind, of language, religion, of property and of person. There is no paramount race in this country. There is no conquered race in this country.

« Égalité de langage » ? Voilà une fiction oratoire que jamais les faits n'ont permis de soutenir.

C'est Stanley B. Ryerson [67] qui, dans son plus récent ouvrage, a le mieux résumé le subterfuge dont usèrent les Anglo-Canadiens à l'endroit des Canadiens français, en 1867 :

> What it all adds up to is this : on the one hand the French-Canadian nation is "given to understand" that it is entering into a partnership based on the principle of equality. On the other, it is accorded a state structure which embodies no such relationship. [...] What was wrong with the 1867 conception of British North American federalism [...] was that they evaded the binational reality.

Du point de vue canadien-français, voici bien une autre lacune terrible dont ne font jamais mention nos manuels d'histoire, rédigés en anglais ou en français.

En 1867 le Québec s'est uni aux trois provinces de l'Ontario, du Nouveau-Brunswick et de la Nouvelle-Écosse : une province française en présence de trois provinces anglaises. Puis l'Île-du-Prince-Édouard, le Manitoba, la Saskatchewan, l'Alberta, la Colombie-Britannique et enfin Terre-Neuve entrèrent dans la Confédération canadienne.

---

[67] *Unequal Union*, 1968, p. 376.

Le Québec se trouvait désormais en présence de neuf provinces anglophones. Situation beaucoup plus périlleuse pour lui. Chacune de ces acquisitions diminuait d'autant, de l'Atlantique au Pacifique, la puissance et l'influence de l'unique province française.

Le Québec aurait bien pu se plaindre d'un pareil résultat. Il a eu la délicatesse de n'en jamais rien faire. Dès 1903, J.S. Willison [68] a eu l'obligeance de remarquer cet esprit de tact et de conciliation et de le laisser savoir à ses lecteurs :

> Those among us who regard Quebec as a province apart from its neighbours, a separate French community [...] must admit that with every extension of the bounds of Confederation, with every new province added to the Dominion, Quebec has sustained proportionate loss of power and influence, has borne the loss with dignity.

*   *   *

Il arrive quelquefois à un Anglo-Canadien de poser à son interlocuteur canadien-français la question que voici : « Quelle est votre patrie véritable ? Le Québec ou le Canada tout entier ? »

Si la réponse est le Québec, si l'on pose comme principe que le Québec est tout au moins la patrie spirituelle du Canada français, alors l'Anglo-Canadien croit cerner son adversaire. Il adopte une attitude victorieuse, il se rengorge, il plastronne et il lui décoche une flèche, une flèche de Parthe, comme du moins il le croit : « Vous autres, Canadiens français, dit-il, vous préférez la partie au tout, vous préférez la province au pays tout entier : vous êtes donc de médiocres patriotes et d'incorrigibles provinciaux. »

---

[68] *Sir Wilfrid Laurier and the Liberal party*, London, 1903, vol. I, p. 13.

La ficelle est un peu grosse. Au vrai, il est difficile d'accumuler plus de confusion en si peu de mots. À ceux qui s'arrogent, sans autre mandat que celui qu'ils ont usurpé, le rôle de directeur de conscience du Canada français, il convient de donner une réponse pertinente et catégorique. B.-K. Sandwell [69], grand ami du Canada français, de regrettée mémoire, l'a fait pour nous :

> The French Canadian maintains that he cannot be expected to feel a national loyalty for a nation in three-quarters of whose territory his ancestral tongue is regarded as foreign and is so treated by the local law and the local education system.

Ce qui est l'évidence même. Si le Canadien français se sentait chez lui, dans l'une ou l'autre des dix provinces canadiennes, son patriotisme embrasserait toutes les parcelles de la terre canadienne, de l'Atlantique au Pacifique. Mais dès qu'il quitte son Québec pour s'établir dans un coin quelconque du Canada anglais, non pas au diable vauvert, non pas dans les régions inhospitalières de l'Arctique, mais au cœur même du pays, à Ottawa capitale du Canada, force lui est de transmettre à ses enfants, dans l'immense majorité des cas, une éducation française diminuée, rachitique et, jusqu'à ces tout derniers temps, octroyée avec pingrerie et au compte-gouttes par les autorités provinciales, surtout aux paliers secondaire et universitaire.

Comment pourrait-il aimer, d'un amour égal, le Québec qui lui a donné le jour et favorise l'essor de la culture française — sa culture à lui — et le coin de terre du Canada anglais où il a élu domicile et où il entend, à intervalles irréguliers, l'arrogant *Speak white* ou le hautain *This is a British Country* ?

Jusqu'à ces tout derniers temps, quitter le Québec équivalait pour la plupart des Canadiens français à une manière de suicide culturel !

---

[69] *The Canadian Peoples*, 1944, p. 8.

Bref, la célèbre formule de Durham, énoncée depuis plus d'un siècle, n'a rien perdu de son actualité : dans le Canada d'aujourd'hui, comme dans le Canada d'autrefois, subsistent toujours « two nations warring in the bosom of a single state ».

Il ne serait peut-être pas messéant de se demander qui porte la responsabilité d'une si tragique situation. Situation terrible puisqu'elle persiste depuis plus de deux siècles et qu'elle vient de donner naissance à un authentique et officiel indépendantisme québécois.

Loin de fuir ses responsabilités et de les rejeter sur son voisin, le professeur Arthur Lower [70] les endosse. Impartial et honnête, il refuse de faire son mea-culpa sur la poitrine de son interlocuteur canadien-français. Écoutons avec attention ce jugement objectif et nuancé :

> Honest effort at a judgment forces the conviction that the heavier share of responsibility has lain with the English Canadians. They have been more numerous but as a group, and with many honourable exceptions, they have not been magnanimous. They have been the stronger, but they have not hesitated to use their strength. They have been greedy and intolerant, and then have turned naively around and wondered why the French (under their command) would not enter their wars. They might have made at least a Switzerland out of Canada and they have created an Austria-Hungary.

*   *   *

L'Ouest canadien suscita, alors que la Confédération était dans ses langes, une commotion raciale qui mit à une rude épreuve, encore une fois, le loyalisme de l'épiscopat du Canada français. Le moment est venu de tirer de l'ombre la figure haute en couleur et aux reliefs hallucinants de Louis Riel.

---

[70] *From Colony to Nation*, 1953, p. 559.

Aujourd'hui l'affaire Riel est classée dans le Canada anglais. Car ce sont bien des historiens du Canada anglais qui élèvent maintenant Riel sur le pavois et saluent en lui une des chevilles ouvrières de la démocratie au Canada. Ils honorent la mémoire de Riel et rendent ainsi un haut témoignage à la vérité historique.

C'est le professeur Lower [71] qui écrit tout uniment :

Canada owes much to a man once execrated : Louis Riel.

C'est Mason Wade [72] qui note avec une parfaite sérénité d'esprit

The growing tendency of English Canadians in the West to regard Riel as a regional hero rather than as a French traitor.

Héros régional : l'éloge est de grande taille.

Stanley B. Ryerson [73] va beaucoup plus loin que son confrère américain. En parlant de Louis Riel, il écrit tout de go :

That Canadian hero's death.

Avec cette citation, Riel passe de l'échelle régionale à l'échelle nationale.

Enfin George Stanley, professeur d'histoire au Collège militaire royal, à Kingston, a publié récemment une brochure intitulée : *Louis Riel, patriot or rebel?* Le point d'interrogation qui termine ce titre est significatif.

Les jours se suivent et ne se ressemblent pas. Pendant plus d'un demi-siècle, presque tous les Anglo-Canadiens exécrèrent Riel et vouèrent sa mémoire aux gémonies. Ils obligèrent John A. Macdonald et son parti à pendre Riel, « notre frère » Riel, selon l'expression d'Honoré Mercier.

---

71 *Canadians in the Making*, p. 366.
72 *The French Canadians*, p. 440.
73 *French Canada*, p. 85.

Faisant face au danger d'une guerre civile, Macdonald sollicita l'aide de l'épiscopat canadien-français. Et il l'obtint sur-le-champ.

Dès 1891, G. Mercer Adam [74] a retracé la genèse de cette nouvelle intervention épiscopale :

> At the first tidings of the outbreak it occurred to Sir John Macdonald that Bishop Taché's presence would do more to quell the disturbances than any other means at the disposal of the government.

La seule présence de Mgr Taché pacifierait mieux les esprits et les cœurs des Métis que tous les autres moyens dont disposait alors le gouvernement fédéral : éloge nullement exagéré auquel doivent souscrire tous les historiens de bonne foi.

Mais Mgr Taché se trouvait à Rome où le retenaient les importants travaux du Concile du Vatican. Convenait-il de rappeler de ces solennelles assises, même à titre de pacificateur officiel, l'évêque de Saint-Boniface ?

C'est pourtant ce qui arriva. Mason Wade [75] prodigue, sur l'événement, force détails :

> Bishop Taché returned to the Red River five days after Scott's death, having been urgently summoned from Rome by the Canadian Government which at last was willing to accept his advice [...] At Bishop Taché's instigation, the Union Jack replaced the provisional government's flag at Fort Garry on April 23, after Riel had proclaimed peace on April 9.

Nulle part dans le Canada anglais, il ne fut alors question, comme on le pense bien, d'influence « indue » du clergé catholique ni de la trop grande soumission des « esclaves » catholiques à leurs pasteurs.

---

[74] *The Life and Career of the Right Honorable Sir John A. Macdonald*, p. 360.
[75] *The French Canadians*, p. 402.

Pareille intervention, à la fois si éclatante et si efficace, réussit-elle au moins à dessiller les yeux des intolérants adversaires du clergé catholique ? Bien naïfs seraient ceux qui le croiraient. Quelques lignes plus loin, dans la même page, Mason Wade [76] ajoute :

> Scott's blood was shed on many a platform and the "traitor French priests" were denounced, although the clergy had been Ottawa's most effective ally in quieting the Red River troubles.

Un peu plus loin dans son ouvrage, l'auteur mentionne « the resolute opposition of the Quebec hierarchy whose attitude had been prompted by Archbishop Taché. »

Bref, en cette affaire, Mgr Taché obtempéra à la demande du gouvernement canadien. Le 13 janvier 1870, il quitta Rome, où se tenait le Concile du Vatican, rentra bientôt au pays, prit position dans l'âpre querelle, rencontra Macdonald qui le constitua émissaire du gouvernement auprès des Métis. Arrivé sur les bords de la rivière Rouge, l'archevêque de Saint-Boniface rétablit une paix précaire après avoir gagné à sa cause les évêques du Québec.

Le gouvernement fédéral lui devait une fière chandelle. Nullement en reste de politesse avec l'éminent pacificateur, au début de la rébellion tout au moins, il fit un geste aimable et significatif. « At Portland [écrit George Stanley [77]], where he [Mgr Taché] arrived on February 2 [1870], he received a letter from Cartier conveying the thanks of the Canadian Government. »

Union tacite de l'Église et de l'État, de l'Église catholique et de l'État neutre, de l'évêque, défenseur de la cité, et d'Anglo-protestants intelligents qui ne mésestiment pas l'importance de services rendus et savent tirer parti de ces prétendues « ingérences » épiscopales.

---

[76] *Ibid.*, p. 417.
[77] *The Birth of Western Canada*, 1936, p. 107.

En ces tout derniers temps, plusieurs ouvrages émanant de plumes anglophones chantent, à qui mieux mieux et sans réticence, la gloire de Louis Riel.

C'est Gerald Clark [78] qui écrit tout uniment :

> Today Riel appears even to English writers neither as a disloyal rebel nor a ruthless murderer. At worst he is thought of as a tragic and unbalanced figure. [...] In a modern world Riel might have been considered a noble upholder of man's dignity and a protector of minorities.

C'est Bruce Hutchison [79] qui tresse à Riel la couronne que voici :

> By the standards of our age, Riel certainly would not have been executed. By the standards of politics in any age, his execution was worse than a judicial murder — it was a blunder, unnecessary and irrevocable.

C'est Ramsay Cook [80] qui découvre dans l'affaire Riel un poteau indicateur sur lequel trop de fédéralistes canadiens-français ferment les yeux :

> Macdonald's decision to allow Riel to die despite Quebec's opposition was the first warning to French Canadians after 1867 that on issues which united English-speaking Canada the minority would have to accept defeat.

*   *   *

Et voici que sous peu, à Winnipeg même, s'élèvera un édifice qui portera le nom de « Place Louis Riel ». Ultérieurement, dans les jardins de l'Assemblée législative du Manitoba, le gouvernement provincial érigera un monument à la gloire de celui que l'on appelle déjà le « Père du Manitoba ».

---

[78] *Canada : The Uneasy Neighbor*, Toronto, 1965, p. 291.
[79] *Macdonald To Pearson*, 1967, p. 41.
[80] *Canada*, 1963, p. 126.

Le 19 juin 1970, le ministère des Postes, à Ottawa, a émis un timbre représentant la mâle figure de Louis Riel.

Quantum mutatus ab illo ! Oui, combien différent de ce qu'il était... en 1885, lui, le pendu de Regina !

Entre autres immortels alexandrins, Racine a écrit :

> *Comment en un plomb vil l'or pur s'est-il changé ?*

Au sujet de Riel, il faudrait renverser les substantifs de l'interrogation et se demander

> *Comment en de l'or pur le plomb s'est-il changé ?*

Au vrai, Riel n'est pas le seul qui, dans le monde anglo-canadien, aît subi pareille évolution.

Loin d'être une exception, il prend figure de symbole. Il brille d'un exceptionnel éclat dans la galerie de ce qu'on appelait autrefois « nos gloire nationales ».

Il existe une petite formule qui permet de découvrir en un clin d'œil, sur le plan politique tout au moins, nos vraies « gloires nationales », nos vrais grands hommes.

Pour établir ce palmarès, on doit se garder de consulter de gros bouquins, des dictionnaires démodés, des biographies surfaites, surtout des épitres dédicatoires. On connaît le proverbe : menteur comme une épitre dédicatoire !

Il suffit d'utiliser une formule, simple comme bonjour, qui pourrait s'énoncer ainsi : sur le plan politique nos grands hommes authentiques, en règle générale, sont précisément ceux que, pendant plusieurs années — un quart de siècle, un demi-siècle ou plus — le Canada anglais a craints, détestés, méprisés, vilipendés, quitte à leur rendre, à titre posthume, par la plume de ses historiens, un hommage mérité.

Exemples entre quelques autres ? Louis-Joseph Papineau, Louis Riel et Henri Bourassa. Dans les milieux anglophones du Canada, ces personnages ont remonté lentement, mais sûrement, d'une ombre injustifiées à un éclatant zénith.

Comme quoi, dans la famille confédérale du Canada, l'entente — « bonne » ou non — a rarement élu domicile.

XII. — L'impérialisme anglo-saxon au Canada

En 1899 l'Angleterre déclara la guerre aux Boers de l'Afrique du Sud. Carl Wittke[1] a bien retracé la genèse du conflit :

> The hostilities were the result of British investments and aggressive enterprise in conflict with the Dutch farmers of South Africa who resented the exploitation of their gold and diamond fields by foreigners. In large degree the war was the familiar story of a small country of pastoral and agricultural people coming in conflict with the relentless juggernaut which we call modern, progressive, capitalistic civilization.

Ceux qui aiment appeler « un chat un chat et Rolet un fripon » sont obligés de convenir que cette guerre sud-africaine fut une manière de brigandage. Brigandage rapidement camouflé, par l'impérialiste Chamberlain et ses acolytes, en une manière de guerre sainte entreprise pour une juste cause. Les guerres de l'Angleterre n'ont-elles jamais été rien d'autre que des guerres déclenchées pour sauver le droit, la justice, l'humanité, la civilisation ? Les moins intempérants des impérialistes britanniques admettraient-ils un seul instant que leur Empire a songé d'abord à ses intérêts en livrant bataille à l'un ou l'autre de ses ennemis ? À leur sentiment, toutes les guerres de l'Empire furent justes, même la guerre sud-africaine.

Le professeur Lower[2] explique ainsi le phénomène : « The normal Puritan tendency of English Canadians to think of all foreign adventures as crusades for righteousness. »

---

[1] *A History of Canada*, p. 248.
[2] *Canada nation and neighbour*, p. 160.

Après avoir évoqué la genèse du conflit, Carl Wittke [3] en a succinctement et magistralement retracé l'évolution dans l'opinion publique, en Angleterre et au Canada :

> With such a ruthless imperialist as Joseph Chamberlain in control of British diplomacy, war could not be avoided. When it came, its causes were skilfully presented in a way that was calculated to enlist the support of public opinion in England and in the British dependencies of a righteous, defensive war.

Confirmation nouvelle — et d'ailleurs fort superflue — de l'une des thèses de Henri Bourassa qui connaissait assez bien les Anglais. Thèse que le chef nationaliste énonçait à peu près en ces termes : les Anglais adoptent d'abord une politique conforme à leurs intérêts. En quoi ils ne se différencient guère des autres peuples de l'univers. Mais une fois cette politique adoptée, les Anglais — et c'est ce trait qui les caractérise — prodiguent des raisonnements de toutes les espèces, et surtout des raisonnements tortus et des simulacres de raisonnements pour démontrer que les guerres résultant de la politique adoptée sont des guerres justes, des guerres défensives et, pour tout dire, des *righteous wars*.

Règle générale qui n'admet aucune exception dans l'un ou l'autre de tous les coins et recoins du monde — ni même en Afrique du Sud.

Les historiens soucieux d'objectivité — et il s'en trouve plusieurs chez les Anglo-Canadiens — ne se laissent pas prendre à pareil traquenard. Comment s'empêcheraient-ils de noter, comme l'a fait Arthur Lower [4], que « during the Boer War the people of practically all the great powers (including the United States) had been hostile in feeling towards Great Britain ».

---

[3] *A History of Canada*, p. 248.
[4] *Colony to Nation*, p. 447.

Stanley B. Ryerson[5] n'a pas craint d'appeler la guerre sud-africaine une guerre injuste : « no reference to needs of national unity could change the fact that the cause at stake was itself unjust. »

Si la guerre sud-africaine encourut la réprobation du monde civilisé, il va sans dire — mais il va encore mieux en le disant — qu'elle ne put susciter l'enthousiasme du Canada français. Croyons-en sur parole Bruce Hutchison[6] qui a énoncé là-dessus une vérité pertinente :

> The South African War had been, in the eyes of the French-Canadian habitants, only a British adventure and another conquest of harmless people like themselves.

En refusant de prendre part aux guerres impériales, surtout en levant l'étendard de la révolte contre la conscription des Canadiens pour service, au bénéfice de l'Empire, en des terres étrangères, les « habitants » de 1899 se maintenaient dans une attitude séculaire.

Essayer de transformer l'apathie, voire l'hostilité de ces « habitants » de 1899, en une approbation de la guerre sud-africaine, n'était-ce pas chercher la quadrature du cercle ?

Mal engagée, l'affaire sud-africaine provoqua d'abord, dans le Canada français, puis chez une petite élite du Canada anglais et chez Laurier lui-même, une sympatique admiration à l'endroit des Boers luttant contre la puissante Angleterre pour la défense de leur pays. Combat de David contre Goliath. Mason Wade[7] n'a pas fermé les yeux sur le fait :

> Principal G.M. Grant of Queen's University [...] sympathized with the Boers, as did such divergent Canadian public figures as Laurier and Goldwin Smith.

---

[5] *French Canada*, p. 100.
[6] *The Struggle for the Border*, p. 446.
[7] *The French Canadians*, p. 477.

En outre, lord Minto [8] n'avait-il pas manifesté son dégoût des sales spéculations (« dirty speculations ») de Cecil Rhodes ? Ces deux mots, surpris sur les lèvres du gouverneur général du Canada, s'adressaient au plus hardi — et au plus discuté — des colonisateurs de l'Afrique du Sud.

Laurier hésitait donc à poser le précédent d'une contribution officielle, en hommes et en argent, aux guerres impériales de l'Angleterre. Hésitations qui exaspéraient les impérialistes de l'Ontario.

Mais ces impérialistes veillaient au grain. Ils prêtaient l'oreille à la voix du sang : *the call of the blood* ; le sang anglais, s'entend. Racistes authentiques, ils exigeaient des Canadiens français — qui, eux, pourtant n'avaient pas une goutte de sang anglais dans les veines — la même participation aux guerres impériales.

Racistes impénitents, les impérialistes anglo-canadiens se modelaient sur leur maître, Joseph Chamberlain.

> Mr. Chamberlain's imperialism [écrit le biographe [9] de sir Wilfrid Laurier] was narrowly racial ; there was no room in his empire for Frenchmen and Dutchmen save as they were transformed by Englishmen, while the lesser breeds of Africa and Asia must accept the rule of their trustees for all time : he glorified the Anglo-Saxon race. Such was the frank and arrogant gospel which was now to be pushed with all the vigour of the successful Birmingham merchant.

Et O.D. Skelton [10] de se montrer sceptique sur le succès de la propagande impérialiste auprès des Canadiens français non seulement parce qu'elle était fortement teintée de racisme, mais surtout parce que les plus forcenés impérialistes anglo-canadiens — en l'occurrence les orangistes

---

[8] *Ibid.*, p. 476.
[9] *Life and Letters of Sir W. Laurier*, II, p. 62.
[10] *Ibid.*, II, p. 64.

— s'affichaient comme les pires ennemis du français au Canada :

> The politicians foremost in the advocacy of imperial federation were foremost also in the attempt to anglicize Canada, to narrow the use of the French tongue, — the McCarthys, the McNeills, the Tyrwhitts, the Wallaces. To expect active enthusiasm for an Anglo-Saxon empire was absurd.

L'éminent journaliste J.W. Dafoe[11], lui aussi auteur d'une biographie de sir Wilfrid Laurier, a proclamé en d'autres termes la même vérité. Au moment de la guerre sud-africaine, a-t-il dit :

> English-speaking Canadians were more British than the British ; they were more loyal than the Queen.

Cette frénésie raciale s'accompagnait d'une véritable phobie à l'endroit des Canadiens français. C'est à cette époque qu'un quotidien torontois fulminait anathèmes et menaces contre le Québec, château fort de Laurier :

> It is an intolerable situation, pouvait-on lire dans l'édition du 8 novembre 1899 du *Toronto News*[12], for English Canadians to live under French domination. [...] It is infinitely deplorable that the government remains in power by the massive vote of a section of the Canadian people speaking a foreign language and maintaining an ideal foreign to the dominant race in this country.

« Race supérieure » : ce qui implique l'existence dans le même pays, d'une « race inférieure » ; le mot est lâché tout de go dans une autre édition du même journal :

> The *Toronto News* threatened that British Canadians would find means, through the ballot or otherwise, of emancipating themselves from the dominance of an inferior people that peculiar circumstances have placed in authority in the Dominion.

---

[11] *Laurier*, p. 74.
[12] *The French Canadians*, p. 486.

On a bien lu : les « British Canadians », les Canadiens britanniques trouveraient bien « le moyen de s'émanciper de la tutelle d'un peuple inférieur qui gouvernait actuellement le Dominion en raison de circonstances spéciales ».

Quel était ce moyen ? Le rédacteur du journal le déclare sans vergogne : « through the ballot or otherwise ».

Deux historiens, O.D. Skelton [13] et Mason Wade [14], ont relevé cette odieuse provocation, fruit d'un racisme exacerbé.

Ce fanatisme effraya lord Minto. Pourtant impérialiste militant, le gouverneur général du Canada ne put s'empêcher de dénoncer l'influence néfaste d'une certaine presse conservatrice de l'époque qui exaltait l'orgueil et la vanité des Anglo-Saxons au grand dam de l'unité canadienne.

Deux historiens, Mason Wade [15] et J.B. Brebner [16], ont projeté sur le fait une lumière crue :

> The writing of the leading Opposition papers in Ontario, écrivit Minto à Londres, has been positively wicked, simply aiming at stirring up hatred of French Canada. It is perfectly monstruous. [...] I believe myself that the French Canadians are very much maligned as to their disloyalty. French Canada does not wish to be mixed up in imperial wars and is lukewarm, but at home you do not call a man disloyal if he disapproves of the war. Here, if he is only lukewarm, and a French Canadian, he must be a rebel.

Pareille intolérance ne facilitait pas, pour Laurier, la solution du problème. Il devait aborder de front un autre obstacle. Jusqu'en 1899, le Canada confédératif n'avait jamais rompu, en ce qui avait trait aux guerres impériales, avec une tradition farouchement nationaliste et canadienne.

---

[13] *Life and Letters of Sir W. Laurier*, II, p. 4.
[14] *The French Canadians*, p. 485.
[15] *Ibid.*, p. 485.
[16] *Canada*, 1960, p. 371.

En effet, lors de la guerre du Soudan, en 1884, sir John A. Macdonald refusa catégoriquement de jeter le Canada tête baissée dans cette aventure impérialiste. Écoutons là-dessus Chester Martin [17] :

> Sir John used language that was not to be mistaken : "Our men and money would therefore be sacrificed to get Gladstone and Co. out of the hole they have plunged themselves into by their own imbecility."

La seule concession que Macdonald consentit alors aux impérialistes fut de permettre à l'Angleterre de recruter des volontaires, au Canada, mais aux frais de la métropole.

Ce que le premier ministre Macdonald, Anglo-protestant conservateur, avait refusé à l'Angleterre en 1885, le premier ministre Laurier, Franco-catholique libéral, l'accorderait-il en 1899 ? Marcherait-il sur les traces de son prédécesseur ou déciderait-il, en posant un dangereux précédent, d'administrer une autre potion amère à ses compatriotes canadiens-français ?

L'histoire proclame que Laurier finit, hélas ! par céder à la frénésie impériale des conservateurs, en général, et des orangistes en particulier. « Laurier yielded to pressure » affirme Mason Wade [18]. Même assertion sous la plume de Donald Creighton [19] :

> Confronted by the rising clamour of English Canada for intervention in South Africa, Sir Wilfrid decided that an apathetic French Canada must accept the decision of the majority.

Ces deux historiens reconnaissent donc que, en cette conjoncture, Laurier agit par contrainte. À n'en pas douter, cette contrainte émanait surtout d'Ottawa ou, si l'on veut,

---

[17] *Commonwealth and Empire,* p. 333.
[18] *The French Canadians,* p. 476.
[19] *Dominion of the North,* p. 400.

de l'impérialisme anglo-canadien. C'est du moins l'opinion de Stanley B. Ryerson [20] :

> When the Laurier cabinet, without waiting to assemble Parliament, passed an Order-in-Council calling for the equipment and transportation of a volunteer force to South Africa, it acted not primarily under imperial coercion from London, but under the pressure first and foremost of English-Canadian jingoism.

Et c'est ainsi que Laurier céda ce que Macdonald avait refusé quinze ans plus tôt : « What John A., the Scot Canadian, had refused, Laurier, the French-Canadien gave » a écrit W.G. Hardy [21].

Puis vient la remarque éminemment pertinente du même historien : « In that small contingent was the prelude to the Canadian soldiers of World Wars I and II. » C'est l'évidence même : Laurier posa, en 1899, un précédent qui serait invoqué dans tous les milieux impérialistes, en 1914 et en 1939.

Ce précédent, le professeur F.H. Underhill [22] en a souligné l'importance capitale :

> Ten days after the war broke out, without parliamentary authority, he [Laurier] passed an Order-in-Council providing for the raising and sending of a force. This action, according to the safeguarding clause at the end of the Order-in-Council, was not to be taken as a precedent. "The precedent, Mr. Prime Minister", retorted Henri Bourassa, "is the accomplished fact". And in spite of Laurier's denial that any change was made in 1899 in Canada's relations with Great Britain, the precedent of accomplished fact has operated ever since.

Cette participation officielle du pays aux guerres de l'Empire, Laurier l'imposa aux Canadiens français. Lui seul pouvait opérer ce prodige.

---

[20] *French Canada*, Toronto, 1943, p. 99.
[21] *From sea unto sea*, p. 427.
[22] *Canada in Peace and War*, p. 121.

La *London Westminster Gazette* [23] avait donc raison d'exulter lorsque, en 1900, les élections générales maintinrent Laurier au pouvoir ; Stanley B. Ryerson [23] a noté le fait :

> The success of Sir Wilfrid Laurier is a matter for congratulation ; he is devoted to our policy, and he is the only Canadian statesman who is able to make it acceptable to his French fellow-citizens.

Pourquoi, chez sir Wilfrid, cette abdication de son autorité de chef au bénéfice de quelques-uns des plus anticatholiques et antifrançais de ses lieutenants ? Pour sauvegarder — aux dépens du Canada français — l'unité nationale. On cueille l'aveu dans le solennel avertissement, consigné par Mason Wade [24], que Laurier donna alors à Henri Bourassa :

> Laurier warned Bourassa of the danger of a cleavage of the races if the government had not followed public opinion.

Mais pourquoi demander aux Canadiens français de faire tous les sacrifices sur l'autel de l'unité canadienne ? Sacrifices à sens unique comme le bilinguisme à sens unique. « Ontario's insistence, as in the South African War, that Quebec must provide all the sacrifices on the altar of harmony. » Constatation éloquente de O.D. Skelton [25], anglo-canadien lui-même.

Bref, en raison de ses exceptionnels services rendus à l'unité dite « nationale », Laurier aurait pu être l'idole du Canada anglais. Il en devint bientôt, hélas ! la tête de Turc.

*   *   *

[23] *French Canada*, p. 100.
[24] *The French Canadians*, p. 484.
[25] *Life and Letters of Sir W. Laurier*, II, p. 234.

C'est la première guerre mondiale qui, d'une chique-naude, renversa le château de cartes de l'unité nationale si longuement et péniblement édifié par Laurier.

Dès le début du conflit s'affrontèrent les deux peuples canadiens. Le peuple anglo-canadien se jeta, tête baissée, dans la mêlée d'abord et avant tout parce qu'il entendit la voix du sang : *the call of the blood*. Tel n'était pas le cas du peuple canadien-français. Le professeur Lower [26] a bien relaté le double fait :

> English Canadians fought not out of knowledge of European conditions but because they were "whelps of the lion". French Canadians were not whelps and they had little knowledge of European conditions. It was unreasonable to expect their legal acceptance of British institutions to carry them as far as the strong sense of filial love was to carry the English Canadians.

O.D. Skelton [27] a abondé dans le sens du professeur Lower :

> The fundamental fact in the situation, yet a fact that was persistently ignored, was that the war was not initially and decisively Canada's war, but a war in which she had been involved by her connection with Britain and in large measure impelled to greater and greater effort by racial sympathy with Britain.

« Racial sympathy », c'est-à-dire racisme, voix du sang.

Il faut aussi souligner un autre facteur qui militait fortement, en 1914 et dans les années subséquentes, contre l'enrôlement des Canadiens français : le francophobe et anticatholique sir Sam Hughes, ministre de la Milice et aussi l'un des chefs des orangistes au Canada.

Là-dessus tous les historiens anglophones sont d'accord. Voici, entre plusieurs autres, quelques témoignages :

---

[26] *Colony to Nation*, p. 461.
[27] *Life and Letters of Sir Wilfrid Laurier*, vol. II, p. 458.

Sir Sam Hughes, the energetic and erratic Minister of Militia, was of fighting Ulster stock, with all that meant in the way of anti-Catholic and anti-French sympathies (Arthur Lower [28]).

It was highly unfortunate that the Canadian minister of Militia [...] was one of the leaders of the Orange Order which was notoriously hostile to French Canada and the Roman Catholic Church (A.L. Burt [29]).

The energetic but wayward Sir Sam Hughes [...] anti-Catholic Ulsterman as Minister of Militia (J.M.S. Careless [30]).

Colonel Sam Hughes, a fanatical Orangeman [...] did not wish to share the glory of winning it [the war] with anyone else, especially the *Canadians*, in his estimation traitors, every one of them (D.M. Le Bourdais [31]).

Sir George Foster, who as early as September 1914, had said of his colleague : "there is only one feeling as to Sam [Hughes], that he is crazy and has done inestimable damage to the Militia and the party (Donald M.A.R. Vince [32]).

De 1914 jusqu'au moment où il fut contraint de donner sa démission de ministre de la Milice, Sam Hughes perpétra, à l'endroit des Canadiens français, affronts, avanies, insultes. Il commit aussi une faute colossale. Ici comment ne pas songer au mot de Talleyrand : « C'est plus qu'un crime, c'est une faute. » En effet, un ministre protestant devint, comme par hasard, l'officier recruteur en chef, dans la province catholique et française de Québec !

The grotesque stupidity with which the situation was handled [avoue Edgar McInnis [33]] was illustrated by the fact that the chief recruiting officer in this predominantly French Catholic community was an English protestant clergyman.

---

[28] *Colony to Nation*, p. 461.
[29] *A Short History of Canada for Americans*, p. 243.
[30] *Canada*, p. 335.
[31] *Nation of the North*, p. 150.
[32] *The Resignation of Sir Sam Hughes*, dans *Canadian Historical Review*, vol. 31, p. 10.
[33] *Canada*, p. 412.

Et Arthur Lower [34] de faire, à ce sujet, une pertinente comparaison :

> Imagine the consternation on all sides, especially among the priesthood, when some of these men turned out to be Protestant clergymen. Think of the uproar that would have occurred had the Government sent French priests into the Protestant countryside of Ontario !

À cette époque, sir Robert Borden présidait aux destinées du Canada. Mieux que quiconque, le premier ministre connaissait ses ministres et notamment son ministre de la Milice, sir Sam Hughes.

En 1938, furent publiés les *Memoirs* de sir Robert [35]. Une page du deuxième volume projette une lumière crue sur le bouillant impérialiste qui répondait au nom de sir Sam Hughes :

> General Hughes' maladroit methods reached their highest point in his arrangements for recruiting among French Canadians. He placed an English Protestant in charge of recruiting propaganda, and from time to time emphasized the foolishness of his action by more mischievous activities. He imagined that he was extremely popular in the Province of Quebec, but this was only one of the many delusions from which I found him suffering on various occasions. The detail of his activities in Quebec escaped me at the time and it can be understood that they were brought to my attention only after their unfortunate results had been made manifest.

On a lu plus haut l'accusation grave que sir George Foster, pourtant collègue de sir Sam Hughes, a osé porter contre le célèbre orangiste : « he is crazy ».

Accusation forgée par le dépit ou la mauvaise foi ? Accusation nullement dénuée de fondement, au dire de sir Robert Borden lui-même.

---

[34] *Colony to Nation*, p. 465.
[35] *Memoirs*, Toronto, MacMillan, vol. II, p. 612. Ce paragraphe est reproduit à la page 152 de l'ouvrage de D.M. LE BOURDAIS, *Nation of the North*.

L'ancien premier ministre [36] a divisé une journée de sir Sam Hughes en trois catégories. Pendant la première moitié de cette journée, le ministre était à peu près normal :

> For a certain other portion of the time, he was extremely excitable, impatient of control and almost impossible to work with ; and during the remainder his conduct and speech were so eccentric as to justify the conclusion that his mind was unbalanced.

Malgré une amitié de vieille date qui le liait à Sam Hughes, Borden hésita à le nommer ministre, en 1911, à cause de son « erratic temperament and his immense vanity ». Et Borden d'ajouter : « His was the only appointment that Lord Grey [alors gouverneur général du Canada] criticized. »

Plusieurs fois défenseurs de leur patrie, les Canadiens français s'opposaient farouchement, en vertu d'une tradition séculaire, à toute participation obligatoire à des guerres faites en dehors de leur pays. « Traditional aversion to foreign wars », a écrit Mason Wade [37], et l'expression est à retenir. Dans son monumental ouvrage, le même auteur [38] a rappelé les étapes de cette opposition massive et d'abord commune à tous les Canadiens, anglais comme français, et dont tinrent compte les Pères de la Confédération :

> The Fathers of Confederation and the imperial authorities had agreed to limit the new dominion's military obligations to defence of Canadian territory.

Toutefois l'intervention volontaire du Canada dans la guerre sud-africaine avait ouvert une première brèche dans le rempart autonomiste du pays.

En cette conjoncture comme en plusieurs autres, il fallut en arriver à une manière de compromis. Chef de l'oppo-

---

[36] *Ibid.*, I, p. 463.
[37] *The French Canadians*, p. 90.
[38] *Ibid.*, p. 683.

sition, Laurier s'engagea à prêcher, dans le Québec comme dans tout le reste du Canada, la participation *libre* du pays à la première guerre mondiale. Sa politique aurait pu s'énoncer par la formule que voici : participation *libre,* oui ; participation *obligatoire,* ou conscription, non.

Cette aversion systématique qu'ont professée les Canadiens français pour la conscription, c'est-à-dire pour la participation obligatoire aux guerres impériales, nul ne l'a mieux comprise et mieux expliquée que le professeur Burt [39] :

> The French [...] hated conscription, for to them it meant something terrible. It meant the realization of their old fear, which Cartier had tried to explain away, that the English-speaking and protestant majority of the Dominion might run a stream roller over them. They were crushed and they had horrid visions of being crushed again in the dark, uncertain future. [...] Thus did conscription come to have a peculiar and tragic meaning for French Canadians. It implied the ultimate loss of the liberty they cherished above all else, the liberty to be themselves, their liberty as a race.

*   *   *

Les deux guerres mondiales ont fourni à deux des membres les plus représentatifs de l'épiscopat québécois l'occasion de se maintenir, au vu et au su de tous, dans le droit fil de leurs traditions loyalistes. Mais il devait leur en coûter fort cher : un manquement à la parole donnée infligea à Mgr Bruchési une blessure qui jamais ne se cicatrisa ; de terribles pressions exercées sur le cardinal Villeneuve et les dissensions qui s'ensuivirent hâtèrent le décès prématuré de l'archevêque de Québec.

Son Excellence Jean Bruchési [40], autrefois ambassadeur du Canada en Espagne, puis en Argentine, et neveu de Mgr

---

[39] *A Short History of Canada for Americans,* p. 243.
[40] *Témoignages d'hier,* pp. 255 et s.

Bruchési, vient de reconstituer dans tous ses détails le calvaire que l'archevêque de Montréal dut gravir au cours de la première guerre mondiale et notamment en 1917. Ces pages au style tantôt nuancé, tantôt incisif, toujours aimable et empreint de distinction, n'ont malheureusement pas obtenu la vaste audience qu'elles méritent. Aussi bien sommes-nous heureux d'en répercuter ici quelques échos.

Dès le début des hostilités, c'est-à-dire le 23 septembre 1914, une lettre pastorale munie de la signature de tous les évêques des archidiocèses de Québec, de Montréal et d'Ottawa et lue le 11 octobre dans toutes les églises de ces archidiocèses, préconisait l'aide du Canada à la Grande-Bretagne et invitait les fidèles à prier pour l'obtention d'une juste paix.

Est-il besoin d'ajouter que, dans cette lettre, il n'était nullement question de conscription pour service d'outre-mer.

Ici le gouvernement canadien avait gagné la première manche du jeu. Selon Jean Bruchési, ce gouvernement « ne désirait rien tant qu'une déclaration collective de l'épiscopat de la province de Québec ». Il l'obtint, grâce à Mgr Bruchési, personnalité dominante de l'épiscopat depuis le Congrès eucharistique de Montréal, en 1910, à l'entregent de l'honorable C.J. Doherty, alors ministre de la Justice et excellent ami de l'archevêque de Montréal, et à l'instigation de sir Charles Fitzpatrick, juge en chef de la Cour suprême du Canada et éminent Irlandais catholique du Québec.

On retrouve ces précisions dans l'ouvrage de Mason Wade [41] :

---

[41] *The French Canadians*, p. 654.

> Fitzpatrick [. . .] urged that the Quebec bishops should preach a holy war through a collective *mandement*, in the tradition of their loyalist stands in 1775 and 1812. Doherty was chosen as the government's intermediary, and set to work through his friend Archbishop Bruchési [. . .]. Most of the *mandement* read in the churches on October 11 was devoted to urging the faithful to subscribe to the Patriotic Fund and to pray for a just peace. But the message clearly approved of the war policy and of the sending of troops, and the bishops were thanked by the governor-general for their action.

Et l'auteur d'ajouter avec une opportune pointe d'ironie : « For once *clerical influence in* Quebec was welcomed by English Canadians. »

Nouvelle preuve hélas ! bien superflue, de l'existence, dans le Canada anglais, d'un axiome politique qui pourrait être ainsi formulé : en règle générale, les Anglo-Canadiens fulminent des imprécations contre l'ingérence du clergé catholique dans le domaine politique ; mais quand ils se trouvent dans une situation difficile ou périlleuse, ils réclament à cor et à cri cette ingérence.

Favorable à l'effort de guerre du Canada, Mgr Bruchési s'opposait nettement à la conscription jugée inutile et susceptible de déclencher une guerre civile au pays.

En novembre 1916, le gouvernement voulut inventorier les ressources du pays. Il s'agissait du fameux *Service national*, opération annonciatrice de la conscription. Mais les Canadiens français consentiraient-ils à s'enregistrer ? Sir Robert Borden et ses ministres se posaient la question avec angoisse. Un moyen facile et sans douleur s'offrait à eux : obtenir l'enregistrement global du Canada français par l'intermédiaire de l'archevêque de Montréal. L'autorité prestigieuse d'un archevêque au Canada français ; la soumission de ses ouailles, de ces prétendus « esclaves », selon le mot lancé par George Brown en 1855 : précieux atouts, une soixantaine d'années plus tard, entre les mains de Borden et de ses ministres. Poison, en 1855, devenu remède et talisman en 1916. Quelquefois, pour certains, le temps, comme le hasard, fait bien les choses.

Dès lors Mgr Bruchési dut subir les assauts courtois, mais systématiques de plusieurs membres du cabinet fédéral. Passons ici la plume à Jean Bruchési [42] qui n'a rien omis d'essentiel dans sa narration de l'affaire :

> Le premier ministre lui-même, sir Robert Borden, accompagné des ministres Casgrain et Doherty, rendit visite à Mgr Bruchési, le 6 décembre 1916. [...] D'autres visites devaient suivre : celle de M. Doherty et celle de M. Patenaude. Et chaque fois, les ministres conservateurs, à l'exemple de leur chef, renouvelaient à Mgr Bruchési l'assurance que le *Service national* n'avait aucun rapport avec la conscription. [...] Monseigneur finit par céder : il inviterait les membres de son clergé, les communautés, les catholiques de son diocèse à répondre aux questions.

À cette fin, il adressa à son clergé une lettre qui fut lue dans la chaire de toutes les églises de son diocèse, le 7 janvier 1917.

Cinq mois plus tard, exactement le 11 juin 1917, le gouvernement déposait son projet de loi de conscription.

Mgr Bruchési en fut littéralement abasourdi ; jamais il ne put se relever de ce coup de Jarnac.

Frustré de l'espérance qu'il avait fondée sur les chefs politiques du pays, Mgr Bruchési exhala sa déception, son indignation et ses plaintes dans cinq lettres qu'il rédigea, en mai et en août 1917, et adressa au premier ministre Borden, sauf la dernière, en date du 10 août, destinée au duc de Devonshire, gouverneur général du Canada.

---

[42] Dans son ouvrage, déjà maintes fois cité, Mason Wade relate, en anglais, ces événements ainsi que d'autres tout aussi symptomatiques de la crise prochaine.

Lettres pathétiques ! Les seules du genre dans l'histoire du Canada ecclésiastique. En un style très simple et comme rythmé par des sanglots, Mᵍʳ Bruchési laisse parler son cœur paternel qui se fend. Toutes roulent sur le même thème : le manquement à la parole donnée.

> Il avait été entendu [lit-on dans la première de ces lettres] que l'enrôlement serait volontaire. Vous m'avez vous-même, monsieur le premier ministre, écrit que telle serait la politique du gouvernement et que vous y teniez. Nous, évêques, nous avons donné à nos populations cette assurance.

> Le gouvernement, à maintes reprises [écrit Mᵍʳ Bruchési dans sa deuxième lettre] a donné officiellement sa parole que la conscription ne serait pas établie au Canada. [...] Vous, cher sir Robert, et quelques-uns de vos collègues, avez donné cette assurance aux évêques avec lesquels vous avez été en relation. [...] Permettrez-vous maintenant que l'on vienne nous dire : « On vous a trompé, et vous-même nous avez trompés » ?

Et l'archevêque de Montréal de faire cette prédiction dans sa troisième lettre : « Soyez assuré qu'une loi de conscription aujourd'hui serait inefficace absolument. »

Dans tout le Canada anglais, se répétait alors un fameux spectacle : l'union intime, la fusion des tréteaux politiques et des chaires protestantes au service d'une campagne éhontée contre le Québec. O.D. Skelton [43], a fulminé des lignes vengeresses contre cette immixtion du clergé protestant dans la politique, immixtion en comparaison de laquelle celle du clergé du Québec n'est qu'un jeu d'enfant :

> In the closing days of Wilfrid Laurier's career, hundreds of Protestant preachers throughout Canada were stampeded and manipulated into a grossly biased and uniformed pulpit attack upon the Liberal party and its leader.

---

[43] *Life and Letters of Sir Wilfrid Laurier*, vol. I, p. 142.

Et l'auteur[44] de poursuivre, dans le deuxième tome de sa biographie :

> Three out of four Protestant pulpits, in accordance with skilfully devised circulars from the Unionist headquarters and with personal promptings, urged the support of the government as a sacred duty ; in the palmiest day of the hierarchy in Quebec, no such fusillade of ecclesiastical advice had ever been fired in Canada.

Entretemps Laurier ne reculait pas d'une semelle dans sa campagne contre la conscription. Borden l'invita à faire partie d'un Cabinet d'union entre libéraux et conservateurs. L'invitation était assujettie à une seule condition : accepter la conscription. Laurier resta sur ses positions et refusa de déférer au vif désir du premier ministre. Y avoir acquiescé, c'eût été — au sentiment du chef libéral tout au moins — livrer le Québec à Henri Bourassa et compromettre l'unité « nationale », suprême objectif de Laurier.

L'abstention du chef de l'opposition n'empêcha pas bon nombre de ses anciens ministres et de ses principaux lieutenants anglo-protestants de déserter le bercail libéral et de se joindre aux ministres conservateurs de Borden. Puis vinrent les élections générales de 1917. L'unité « nationale » fut mise en lambeaux. La guerre civile faillit éclater. Et le Canada connut quelques-unes des heures les plus tragiques de son histoire pourtant souvent mouvementée.

C'est alors que Laurier but le calice jusqu'à la lie. Au soir de sa vie toute consacrée à l'édification du Canada et à la pacifique coexistence, au sein du pays, des deux peuples canadiens, il assista à l'effondrement de son idéal.

Au cours de la campagne électorale de 1917, toujours partisan du volontariat, Laurier prétendit que la conscription ne produirait pas les effets espérés par les impéria-

---

[44] *Ibid.*, vol. II, p. 536.

listes ; elle bouleverserait le pays, elle creuserait un abîme entre Canadiens anglais et Canadiens français sans accroître considérablement les effectifs de l'armée canadienne d'outre-mer.

Le Canada anglais reprochait à Laurier de se constituer, en 1917, le porte-parole, le protecteur et même le rempart des Canadiens français tous, ou presque tous, opposés à la conscription, manifestant beaucoup moins d'enthousiasme pour la guerre que les Anglo-Canadiens et s'enrôlant en moins grand nombre que ces derniers. Le contraire eût été surprenant, voire quasi miraculeux : la voix du sang, inexistante chez les Canadiens français, devenait tonitruante chez les Anglo-Canadiens.

Comme aujourd'hui, le Canada de 1917 comprenait non pas deux, mais quatre principaux groupes de citoyens : les Canadiens français, les plus anciens des Canadiens, ceux qui plongeaient les racines les plus profondes dans le tuf du pays ; les Canadiens anglais, nés au Canada de parents canadiens ; les Canadiens anglais, nés dans les Îles britanniques, donc Canadiens de fraîche date ; les nouveaux Canadiens domiciliés, pour la plupart, dans l'Ouest.

Les impérialistes d'alors s'efforçaient de marquer les Canadiens français, hostiles à la conscription, des stigmates de la couardise, de la lâcheté et de la trahison. Cette honteuse attitude, ajoutaient-ils, servait de repoussoir à la générosité anglo-saxonne du reste du pays.

Contraste beaucoup trop simpliste, voire hypocrite. Vision cavalière d'une réalité fabriquée pour les besoins d'une cause. Erreur de perspective que plusieurs années de recul ont définitivement corrigée. Et ce sont des historiens anglo-canadiens qui se sont attelés à cette malodorante besogne pour rétablir la vérité dans ses droits et rendre aux Canadiens français une élémentaire justice.

Au cours de la première guerre mondiale, l'enrôlement non seulement au Canada français, mais aussi dans les trois autres groupements de Canadiens, s'expliquait par une manière de loi que le premier venu d'entre les sociologues eût pu découvrir avec facilité en dressant sur le sujet quelques statistiques. On pourrait ainsi énoncer cette loi : *l'enrôlement de tous les Canadiens, de 1914 à 1918, fut en raison inverse de leur enracinement dans le pays.*

Formule qui, au lieu de diviser grossièrement les Canadiens en bons et en méchants, explique le comportement de chacun d'entre eux d'une façon scientifique. Grâce à cette formule, il va de soi que les Canadiens français, les premiers et les plus anciens des Canadiens, s'enrôlaient en moins grand nombre, toute proportion gardée, que les Canadiens de fraîche date.

Très nombreux sont les historiens anglo-canadiens d'hier et d'aujourd'hui qui, après avoir accepté cette formule ou son équivalent, ont brodé là-dessus d'ingénieuses variations. Cette diversité dans l'unité est révélatrice et venge pacifiquement les injures et les outrages dont fut accablé le Canada français au cours de ces quatre années terribles.

Il convient de les consigner intégralement ici. L'énumération n'a rien de fastidieux : elle réduit à néant les vitupérations de tant de fanatiques et de cerveaux fêlés qui, dans le Canada de la première guerre mondiale, ont eu carte blanche.

> Enthusiasm for recruiting varied inversely with length of residence (Wittke [45]).

> The proportion of enlistments achieved by any social group appeared to vary almost inversely to the length of establishment in Canada (Creighton [46]).

---

[45] *A History of Canada,* p. 296.
[46] *Dominion of the North,* p. 448.

Outright enthusiasm dwindled in rough proportion to length of establishment in Canada (Brebner [47]).

The likelihood of man's enlisting was in inverse ratio to the length of time he or his ancestors had been in Canada (Le Bourdais [48]).

The fact which stands out most clearly in an examination of enlistment figures is that enlistments were procured from different social groups in inverse proportion to the length of their connection with Canada [49].

Interest and enlistment varied inversely with the length of residence and the depth of rooting in Canada (Skelton [50]).

Une analyse poussée des statistiques révèle une vérité pendant longtemps mise sous le boisseau — et pour cause — par tant de mangeurs de Canadiens français : les Canadiens anglais, nés au Canada, ont alors manifesté beaucoup moins d'empressement à s'enrôler que les Canadiens anglais nés dans les îles Britanniques. Le biographe Skelton [51] a fait sienne une judicieuse et lumineuse remarque du sénateur Raoul Dandurand :

The excess in the proportion of British-born enlistments over native English-speaking Canadians was greater than the excess of native English-speaking Canadians over native French-speaking Canadians.

Bref, l'opposition à la conscription ne se limitait pas, de 1914 à 1918, au Canada français : elle se manifestait aussi chez les fermiers et chez les ouvriers.

Donald Creighton [52] l'a loyalement reconnu :

Throughout the Dominion, trades and Labour Councils protested against Conscription. It was accepted by the farmers

---

[47] *Canada*, p. 393.
[48] *Nation of the North*, p. 153.
[49] Chester MARTIN, *Canada in Peace and War*, Oxford Univ. Press, 1941, article de F.D. UNDERHILL, p. 143.
[50] *Life and Letters of Sir Wilfrid Laurier*, II, p. 458.
[51] *Ibid.*
[52] Chester MARTIN, *Canada in Peace and War*, p. 41.

of Ontario only on the express condition that liberal exemptions would be granted to agricultural workers; and when, in the spring of 1918, these exemptions were cancelled, thousands of angry farmers descended upon Ottawa to voice their protest to the Union Government.

Ainsi s'explique et se justifie le mot de Mason Wade [53] :

> English Canadians, regardless of political affiliation, were loud in their lip service to conscription.

On a bien lu les mots *lip service* qui signifient louange hypocrite de la conscription. Le professeur Burt [54] a ainsi commenté ce reproche cinglant :

> Few people in English Canada understood the situation. Most of them were inclined to think that the French were slower to enlist because they were slackers. If they had only examined their own numbers they would have observed that the Canadian-born were far behind the British-born. [...] But it is human nature to excuse one's self and to accuse others, and throughout English Canada there was growing animosity toward French Canada.

Cette animosité s'étendit à celui qui était, sur le plan politique, le chef incontesté du Canada français : sir Wilfrid Laurier.

La rage impérialiste et orangiste était alors à son faîte montée. Abandonné de presque tous ses lieutenants de langue anglaise, mais fort de l'appui massif des siens du Québec, le vénérable vieillard livra une bataille d'avance perdue.

Pour lui sonnait à l'horloge de l'histoire du Canada l'heure la plus tragique de sa longue carrière, celle dont parlent les saintes Écritures : *Hora et potestas tenebrarum,* l'heure et la puissance des ténèbres.

---

[53] *The French Canadians,* p. 751.
[54] *A Short History of Canada for Americans,* p. 243.

Afin de détruire Laurier, on jugea bon et opportun, dans le Canada anglais, de recourir à tous les moyens, même les plus pervers. La déloyauté, le mensonge, le cynisme, le plus vil opportunisme se donnèrent rendez-vous pour abattre l'adversaire de la conscription.

Borden et ses impérialistes à tous crins avaient pourtant, en 1911, tramé un petit complot avec certains lieutenants de Bourassa, adversaires acharnés, eux aussi, de la conscription. L'un d'entre eux avait naguère déclaré que, si le Canada français respirait désormais l'air de la liberté, c'était parce que les Patriotes de 1837 avaient troué de balles le drapeau britannique.

Impérialistes et racistes anglo-canadiens, presque tous tories de la plus stricte observance, conclurent en 1911 avec plusieurs faux disciples de Bourassa un pacte temporaire dans l'unique dessein de réduire Laurier à l'impuissance.

Pacte auquel Bourassa ne donna jamais sa bénédiction même si les circonstances l'obligèrent à ne pas dissocier ses efforts de ceux qui voulaient comme lui, mais pour d'autres motifs, la défaite de Laurier. Car Bourassa, ennemi-né de l'impérialisme anglo-saxon, dénonçait, en 1911, non seulement la marine de Laurier « canadienne en temps de paix, impériale en temps de guerre », mais aussi « la politique non moins néfaste de Borden » préconisant le cadeau de quelques dreadnoughts à l'Angleterre.

Pacte aussi honteux pour ceux qui osèrent le proposer que pour les faux nationalistes qui l'acceptèrent avec une secrète joie, en bons opportunistes qu'ils étaient. Car ce sont les conservateurs anglo-canadiens qui offrirent leurs services aux nationalistes canadiens-français ; ce ne sont pas ceux-ci qui rampèrent devant ceux-là !

Mason Wade [55] l'a loyalement reconnu :

---

[55] *The French Canadians,* p. 598.

Funds began to flow into the nationalist war chest from Tory sources. One English conservative from Montreal who had violently attacked the nationalists as "rebels and disloyal traitors" now took out [en 1911] 40 subscriptions to Le Devoir and others followed suit.

Le professeur F.H. Underhill [56] a stigmatisé, lui aussi, la honteuse alliance :

> In the general election of 1911 Conservatives and Nationalists in Quebec made arrangements for cooperation in the constituencies, and it was the seats which they won from Laurier in this way that drove him from office. The Quebec Nationalists were given their share of seats in the Borden cabinet.

Bruce Hutchison [57] a lui aussi percé à jour le jeu infâme :

> Borden [...] quickly seized the sudden chance to destroy Laurier. It would be a tricky and cynical business.

Affaire astucieuse et cynique : on a noté les deux épithètes, les deux flèches que l'historien décoche à Borden. Ce qui fera dire opportunément au professeur F.H. Underhill [58] :

> Surely historians have been unduly tender to Sir Robert Borden on this issue.

Et le même auteur [59] de résumer ainsi l'ignoble affaire :

> While this dark witches' brew was maturing in Quebec...

Noir complot de sorcière : jugement auquel l'histoire contemporaine a déjà souscrit et que ratifiera la postérité.

C'était grâce à la collaboration des nationalistes canadiens-français que les conservateurs anglo-canadiens s'étaient emparés du pouvoir en 1911. Six ans plus tard, au cours de la crise de la conscription, ces conservateurs an-

---

[56] Chester MARTIN, *Canada in Peace and War*, p. 122.
[57] *The Struggle for the Border*, p. 446.
[58] Chester MARTIN, *Canada in Peace and War*, p. 125.
[59] *The Struggle for the Border*, p. 447.

glo-canadiens se retournèrent contre leurs bienfaiteurs avec non moins de prestance qu'ils avaient mise à s'agenouiller naguère devant eux. À ces nationalistes, à ces pelés, à ces galeux, nulle gratitude, pas même la reconnaissance toute viscérale qui leur était due. D.M. Le Bourdais [60] a stigmatisé comme il convient cette honteuse conduite :

> Despite the fact that two Nationalists were members of the cabinet and that Bourassa himself had been the ally of Sir Robert Borden's party in the recent Reciprocity election, Bourassa's most extreme statements were displayed as typical of those opposing conscription and Union Government.

En 1917, les Anglo-Canadiens menèrent contre Laurier une campagne électorale des plus dégoûtantes. Peu d'historiens anglo-canadiens s'appesantissent là-dessus : ils craignent, semble-t-il, de tomber dans un cloaque. Pourtant l'un d'entre eux y descendit en se bouchant le nez :

> Then followed a campaign the like of which had never been before experienced in Canada. With ample money, with almost the entire English-language press, with high-priced speakers and writers, with newspaper advertisements, with the Protestant pulpit largely become an adjunct of the hustings, a steady barrage of abuse was rained upon Laurier and his supporters. From billboards in type four feet high, voters were warned that "A vote for Laurier is a vote for the Kaiser !" and they were asked : "How would the Kaiser vote [61] ?"

Laurier, suppôt du Kaiser ! Le premier ministre du Canada pendant quinze ans, un traître ! Le chef de la loyale opposition de Sa Majesté, au Canada, la vivante personnification de la déloyauté et de la couardise ! La bassesse des calomniateurs s'étalait ainsi sans vergogne aucune. Telle était, pour Laurier, la récompense d'une vie consacrée à l'édification d'une patrie canadienne où devaient cohabiter les représentants de deux grandes cultures.

---

[60] *Nation of the North,* London, 1953, p. 161.
[61] *Ibid.,* p. 160.

Si, dans tout le Canada, il y avait un Anglo-Canadien en mesure de jauger Laurier, c'était Borden. Le premier ministre conservateur ne pouvait être taxé d'admiration intempérante et irraisonnée à l'endroit de son pire adversaire politique. Pourtant les mémoires de Borden renferment une lettre que le mémorialiste adressa à sir Thomas White, le 24 février 1919, deux ans seulement après l'immonde campagne contre le vénérable vieillard. Et le premier ministre [62] conservateur d'oublier ce cauchemar et de rendre à Laurier cet hommage suprême et mérité : « On the whole I think there never has been a more impressive figure in the affairs of our country. » Nulle figure plus imposante que celle de Laurier, au dire de son adversaire victorieux. Hommage de grande taille. C'était à ce géant que s'attaquaient, en 1917, tant d'ignobles pygmées : ils prennent figure de serpents essayant de ronger une lime.

En dépit d'une campagne électorale où le racisme anglo-saxon fut porté à son paroxysme et où le Canada anglais connut les pires heures francophobes de toute son histoire, Laurier recueillit un nombre surprenant de votes : 750.000 alors que Borden en reçut 842.000. Votes des civils, s'entend ! Voilà bien, mathématiquement parlant, la preuve que l'opposition à la conscription ne se limitait pas au Québec.

Mais le vote des soldats, honteusement manipulé, permit au gouvernement conservateur d'enlever quantité de circonscriptions qui avaient donné de faibles majorités libérales. Tant et si bien que Laurier, vainqueur dans 62 des 65 comtés du Québec, n'obtint que 8 comtés en Ontario et 20 seulement dans tout le reste du Canada.

Non pas battu à plate couture, il était quand même battu. Battu et surtout abandonné de presque tous ses

---

[62] R. MacGregor DAWSON, *W.L. MacKenzie King*, Toronto, 1958, I, p. 274.

lieutenants de langue anglaise. Battu et visiblement blessé dans ses affections les plus intimes par tant d'explosions de haine, tant de noire ingratitude à son endroit.

Quelques-uns de ceux qu'il avait le plus favorisés, auxquels il avait, pendant de longues années, prodigué les trésors de sa sollicitude, de ses conseils et de son amitié, furent ceux-là mêmes qui retournèrent leur veste avec le plus d'impudeur et dirent pis que pendre de leur ancien ami et bienfaiteur. On n'est jamais trahi que par les siens : axiome vrai en tout temps, sous toutes les latitudes et qui, en cette douloureuse conjoncture, s'applique on ne peut mieux à Laurier, comme l'a fait observer un sagace historien, D.M. Le Bourdais [63] :

> While it would be hard to equal the scurrility of a few of the conservative papers, the Toronto Globe, that bulwark of Liberalism since the days of George Brown, outdid all others. And two former friends of Laurier, one a particular protégé, seemed to derive a peculiar satisfaction from outrageously denouncing him.

L'histoire proclamera que Laurier ne fut jamais plus grand qu'au moment où, au soir de son existence, il connut les affres de la solitude, de l'ingratitude et de la trahison.

Eut-il l'impression qu'il avait raté sa vie ? Plusieurs réflexions du vieux chef le laissent entendre ; plusieurs de ces réflexions, recueillies par des universitaires anglo-canadiens, ne permettent pas d'entretenir là-dessus le moindre doute. Trois historiens ont versé au dossier de ce que l'on pourrait appeler la désillusion croissante de sir Wilfrid d'accablantes pièces : Mason Wade [64], O.D. Skelton [65] et J.W. Dafoe [66].

---

[63] *Nation of the North,* p. 160.
[64] *The French Canadians,* p. 699.
[65] *Life and Letters of Sir Wilfrid Laurier,* II, p. 484.
[66] *Laurier,* p. 172.

Le premier rapporte que, après l'échec d'Ernest Lapointe incapable d'obtenir l'approbation de la Chambre des Communes, lors de la crise scolaire franco-ontarienne et l'application de l'inique règlement XVII, le découragement s'empara du chef libéral :

> Laurier grew discouraged and suggested to Fielding and Graham that it had been a mistake for a French Canadian to accept the leadership of the party.

Le deuxième, exprime la même pensée en des termes différents :

> He [Laurier] walked to the window, stood looking out in silence. [...] "I have lived too long, I have outlived Liberalism. [...] It was a mistake for a French Catholic to take the leadership. I told Blake so thirty years ago."

Enfin la troisième observe la même attitude chez Laurier non seulement à l'époque de la persécution scolaire en Ontario, mais aussi à l'issue des élections générales de 1917 :

> There was too the mournful and repeated assertion — which abounds also in his letters —— that these developments showed that it was a mistake for a member of a minority to be the leader of the party.

Ici Laurier parlait d'or. Un Canadien français premier ministre du Canada — premier ministre libéral ou conservateur, peu importe — c'est une souris guettée constamment par un chat ; c'est un catholique qui sert d'épouvantail aux protestants ; c'est un Canadien français qui doit constamment donner des gages, faires des concessions, choisir le moindre mal, multiplier les compromissions dangereuses et les promiscuités suspectes et surtout exiger des siens beaucoup de sacrifices pour maintenir tant bien que mal une artificielle unité nationale.

*   *   *

Laurier mourut le 17 février 1919, terrassé par les atteintes de la maladie, du désenchantement et aussi, n'en doutons pas, crucifié par l'ingratitude de certains hommes. Lui qui avait consumé son âge au service de l'unité de son pays, il eut l'immense tristesse de vivre assez longtemps pour assister à la pulvérisation de son rêve. « Sir Wilfrid Laurier lived to see [...] the French and the English-Canadians more sharply divided than they had been for 80 years. » Croyons-en J.W. Dafoe [67], l'un de ses biographes, qui a mélancoliquement noté le fait.

Le grand vieillard n'était pourtant pas né sous une étoile maléfique. Mais les vicissitudes et les outrages de l'existence finirent par l'incliner au pessimisme. À sa place, qui n'eût pas vu tout en noir ?

Étrange retour de la fortune. Ce Canada français, petite patrie de Laurier, cet érable que certains croyaient mort ou sur le point de mourir, parce que quelques feuilles sèches s'y accrochaient obstinément pendant des hivers durs, cet arbre toujours plein de sève devait connaître, moins de cinquante ans après le décès de l'homme d'État, un regain de vitalité, un étonnant réveil, dont nous sommes tous les témoins émerveillés, la frondaison d'un exceptionnel printemps, annonciateur d'un été fécond en réalisations nouvelles...

*   *   *

Avec la deuxième guerre mondiale, le gouvernement libéral de Mackenzie King, et non plus le gouvernement conservateur de Robert Borden, finit, lui aussi, par imposer la conscription pour service d'outre-mer. Conscription moins brutale que la première : on procéda par étapes savamment calculées et on respecta les formes. Conscription larvée, en douce, mais carrément hypocrite.

---

[67] *Laurier*, p. 102.

Cette fois encore, il y eut en haut lieu manquement à la parole donnée au peuple canadien-français tout entier lors du célèbre plébiscite de Mackenzie King, embarrassé avec sa promesse de ne pas imposer la conscription et désireux d'en être relevé. Ce plébiscite qui s'adressait à toute la population du pays, et non pas seulement aux Canadiens français, constituait, en tant que tel, une violation d'une entente tacite entre les deux principaux peuples du pays.

Maxime Raymond, alors député de Beauharnois, a bien vu la nature de ce pacte d'honneur. En effet, au début des hostilités, en 1939, « les Canadiens français acceptent de participer à la guerre, les Anglo-Canadiens consentent à ne jamais recourir à la conscription ». Les Canadiens français ont exécuté leur engagement. Pourquoi les autres refuseraient-ils d'exécuter le leur ?

Et l'abbé Lionel Groulx [68] de tenir cet argument pour fondamental et d'une irréfutable logique. N'oublions pas que cette manière de pacte signé en 1939, fut ratifié en quelque sorte, aux élections de 1940, par la victoire de Mackenzie King.

Chubby Power [69], ministre dans le cabinet de Mackenzie King, a abondé dans le sens de Maxime Raymond :

> He [Ernest Lapointe] offered a pledge before the whole country that though he and his colleagues from Quebec would support the war effort and would strongly support participation, under no consideration whatsoever would they remain in or support any government that imposed conscription for overseas service. This pledge was made by Lapointe on behalf of all the ministers from Quebec including myself.

---

[68] *Revue d'Histoire de l'Amérique française,* juin 1962, p. 141.
[69] *The Memoirs of Chubby Power,* Toronto, Macmillan, 1966, p. 346.

Richard Jones [70] croit, lui aussi, qu'en cette affaire il y a eu manquement à la parole donnée au peuple canadien-français :

> On April 27, 1942, Ottawa submitted to the Canadian electorate this question : "Will you release the government from its anticonscriptionist promises ?" Yes ! answered the English, to whom the promises had never been made. No ! replied the French, for whose benefit alone King had originally made them [...] It was a moral contract that was at stake.

Enfin J.L. Granatstein [71] s'est rangé à l'opinion de Chubby Power et de Richard Jones quand il a écrit :

> The pledge against conscription had been made to Quebec ; now Mackenzie King had asked all Canada to release him from his promises.

Ignoble manquement à la parole donnée à tout un peuple !

En cette deuxième crise majeure survenant quelque vingt ans après la fin de la première, c'est le cardinal Villeneuve qui était le chef incontesté de l'épiscopat canadien-français. Comme Mgr Bruchési, il subit les assauts répétés des ministres fédéraux, en général, et du premier ministre en particulier.

Le cardinal prêcha d'abord, comme c'était son devoir de le faire, la soumission aux autorités civiles. Il approuva le projet de mobilisation générale pour la défense du sol canadien. Mais c'est le 9 février 1941 qu'il ravit et combla les Anglo-Canadiens.

Son Éminence avait auparavant décidé que, en ce dimanche du 9 février 1941, une messe serait célébrée dans

---

[70] *Community in Crisis*, Toronto, 1967, p. 20.
[71] *The Politics of Survival — The Conservative Party of Canada 1939-1945*, Toronto, 1967, p. 4.

toutes les églises paroissiales de la province, pour implorer du Dieu des armées la victoire des alliées.

> He himself [le cardinal] [écrit Mason Wade [72] officiated at Notre-Dame in Montreal before a congregation which included Ernest Lapointe and almost every high dignitary of Church and State [...] He closed his allocution on this occasion thus : "We, the Church, the State and the people of this province, beseech the Lord of Hosts to help us overcome the forces of evil." This gesture without precedent in French Canada since the days of the Masses offered for the victory of Britain over Napoleon, made a tremendous impression on English Canadians who had been led to think of the Church as the root of all disloyal evil in Quebec.

L'Église, source, au Québec, de tout ce qui entache le loyalisme : préjugé tenace qui ne devait pas disparaître avec cette exceptionnelle manifestation religieuse des sentiments loyalistes de l'archevêque de Québec.

Ici deux bons mots qu'on nous saura gré de ne pas passer sous silence.

À Notre-Dame, en cette solennelle circonstance, Ernest Lapointe, alors ministre de la Justice, récita une prière. Et un quidam de remarquer : « C'est Ernest Lapointe qui a lu la prière, et c'est le cardinal qui a fait le discours. »

Ce qui donna lieu à un autre bon mot ou plutôt à un lapsus linguæ voulu.

Personnage dans l'armée canadienne avant d'être le représentant officiel de Sa Majesté au Canada, le général Vanier a toujours manifesté ouvertement une foi vive et une révérence émue pour la religion de ses pères. Le respect humain n'a jamais été son fait. Esprit profondément religieux, il n'a jamais établi une cloison étanche entre ses croyances et sa vie publique.

---

[72] *The French Canadians*, p. 942.

Le cardinal Villeneuve, le général Vanier : deux chefs, le premier aux allures quelquefois martiales, le second avec une manière d'onction ecclésiastique qui imprègne ses discours, conférences et causeries. Ce qui suscita chez plusieurs le quiproquo que voici : le général Villeneuve, le cardinal Vanier ! . . .

Le mot obtint un vif succès.

Avec un si puissant soutien du loyalisme britannique, Mackenzie King joua une partie beaucoup plus facile que Robert Borden avec Mgr Bruchési.

Lorsque les masques furent levés, au moment opportun où le cabinet décida d'imposer la conscription pour le service d'outre-mer, Mackenzie King téléphona au cardinal Villeneuve. C'est du moins ce que nous apprend R.M. Dawson [73] :

> He [King] telephoned Cardinal Villeneuve and told him that a limited measure of conscription was inevitable. The Cardinal [. . .] indicated that he would see what he could do to be helpful.

Malgré l'extrême prudence, les subterfuges et les formules machiavéliques de Mackenzie King (« not necessarily conscription, but conscription if necessary »), son cabinet ne fila pas pour autant — il s'en faut de beaucoup — des heures d'or et de soie.

> Though racial feelings, écrit le professeur Burt [74], were not nearly so inflamed as in the last war [. . .] hot words flew back and forth raising serious fears for national unity ; and the cabinet was reported to be divided on the issue.

Encore une fois, le gouvernement canadien s'était engagé sur une corniche qui côtoyait l'abime et où il risquait de rouler par suite du moindre faux pas.

---

[73] *The Conscription Crisis*, Toronto, 1961, p. 113.
[74] *A Short Story of Canada for Americans*, p. 291.

Que serait-il advenu à ce gouvernement si le cardinal Villeneuve avait refusé de lui prêter un secours généreux et constant ? Là-dessus toutes les hypothèses — y compris les pires — sont autorisées. Ce qui ne souffre pas contradiction, c'est que là encore le chef spirituel du Canada français est venu à la rescousse du gouvernement canadien, au vu et au su de tous, à une heure grave dans l'histoire du pays. Et si elles provoquèrent de violents remous dans les milieux nationalistes de Montréal et du reste de la province, ces interventions cléricales ne soulevèrent pas, bien au contraire, l'ombre d'une protestation dans une partie quelconque du Canada anglais trop heureux, pour parvenir à ses fins, d'unir le bras ecclésiastique du Québec au bras séculier d'Ottawa.

*   *   *

Il reste une dernière question à élucider. Toutes ces décisions, toutes ces interventions, couchées par écrit et commentées, ne constitueraient-elles pas un florilège de la servilité épiscopale au Canada français ? On a bien proféré, lors de la deuxième guerre mondiale, une semblable accusation contre bon nombre d'évêques de France asservis, prétendait-on, au maréchal Pétain.

Cruel dilemme ! L'évêque qui s'y trouve enfermé prête, quoi qu'il fasse, le flanc à la critique. Si, dans une question mixte, il intervient avec éclat ou en sourdine, d'aucuns l'accuseront de « faire de la politique ». S'il refuse d'intervenir, d'autres prétendront que, chez lui, l'esprit religieux a obnubilé le sens national. Dans l'un et l'autre cas, il fera des mécontents.

Il n'en reste pas moins que, en 1775, en 1812, en 1837 et même en 1867, une alternative — une seule — s'offrait aux chefs de l'Église du Québec : ou bien prêter main-forte aux autorités constituées et empêcher le Canada de devenir américain ; ou bien refuser sa collaboration et favoriser ainsi, par une neutralité bienveillante ou une collusion avec les éléments révolutionnaires, l'ultime fusion dans le creuset américain.

Leur choix s'est toujours porté sur la première option. Toujours ils ont pincé les cordes loyalistes. Toujours ils ont éloigné leurs ouailles des sirènes révolutionnaires. L'autre option n'eût-elle pas entraîné, pour les Canadiens français, sinon l'affaiblissement de la foi, au moins la perte rapide de la langue ?

Bref, les chefs spirituels du Québec ont choisi le moindre mal.

Choix qui prend figure de symbole : depuis la Conquête, le Canada français, à toutes les heures graves de son existence, est acculé à cette extrémité.

XIII. — Le Québec, province comme les autres?

Le Québec est-il une « province comme les autres » ? La question est nette et claire ; elle mérite une réponse de la même veine, une réponse sans ambiguïté, sans circonlocution, sans précaution oratoire.

Je réponds donc carrément et je dis : Le Québec n'est pas — et n'a jamais été — une « province comme les autres ». Ainsi j'énonce en français un axiome que plusieurs Anglo-Canadiens, jusqu'à ces tout derniers temps tout au moins, consignaient noir sur blanc, avec une parfaite sérénité d'esprit.

Interrogez là-dessus le premier venu, le citoyen moyen. Sans hésitation, il vous fera observer que la majorité des habitants du Québec est francophone, ce qui n'est pas le cas des neuf autres provinces.

Il pourrait ajouter que, du point de vue religieux, une forte majorité des habitants du Québec se déclare catholique, alors que chacune des autres provinces renferme une majorité protestante.

Interrogeons maintenant un juriste. Il signalera opportunément que le code de Napoléon est toujours à l'honneur au Québec, tandis que, dans les neuf autres provinces anglophones, c'est le « Common Law » qui a force de loi.

Langue française, religion catholique, code de Napoléon : trois faits qui s'imposent à l'attention de tous.

Comment, en présence de ces faits, déclarer comme si de rien n'était, que le Québec est une province comme les autres ?

Dans les pays anglo-saxons, comme chacun le sait, les faits revêtent une importance capitale. Le « Common Law » n'est-il pas, en somme, un amoncellement de faits, de précédents devant lesquels il faut s'incliner ?

En outre, des faits divers confirment souvent la thèse du Québec, province pas comme les autres.

Ottawa avait convoqué, pour décembre 1968, une réunion fédérale-provinciale où devaient être présents les premiers ministres des dix provinces. Mais ne voilà-t-il pas que, quelques jours avant cette réunion, l'honorable Jean-Jacques Bertrand tombe malade. Tout de suite le premier ministre du Québec demande que la conférence soit reportée à une date ultérieure et tout de suite il obtient l'assentiment de ses collègues.

Qu'on me permette maintenant de faire la supposition que voici. En décembre dernier, M. Bertrand se portait bien et c'est le premier ministre de Terre-Neuve ou de la Colombie ou de l'Île-du-Prince-Édouard ou d'une autre province qui était malade. La conférence fédérale-provinciale eût-elle été contremandée pour autant ? Je ne le crois pas ; je suis même certain du contraire.

Comme quoi le Québec n'est pas une province comme les autres.

Cette différence essentielle de statut entre les neuf provinces anglophones et le Québec a suscité dans le cerveau de Harry Strom, nouveau premier ministre de l'Alberta, une formule heureuse, une comparaison originale qui mérite de passer à la postérité :

> Holding a federal-provincial conference without Quebec would be like having a wedding without the groom.

Le *Time*, édition du 20 décembre 1968, a consigné ce bon mot.

Tout mariage ne comporte qu'une mariée et qu'un marié. Le premier ministre de l'Alberta prétend que, dans une conférence fédérale-provinciale, le Québec joue le rôle du marié. Ce qui exclut pareil rôle pour les autres provinces.

Ainsi donc le Québec n'est pas une province comme les autres.

* * *

Il y a plus. Le Québec n'a jamais été une province comme les autres : une courte étude des origines de la Confédération le démontre péremptoirement.

Au cours des années préconfédératives, John A. Macdonald préconisait pour le Haut-Canada, le Bas-Canada et les Provinces maritimes une union législative, c'est-à-dire un puissant gouvernement central, un seul gouvernement qui pourrait s'opposer victorieusement à la domination américaine, au « melting pot » de nos voisins du sud. Macdonald prenait ainsi figure de fédéraliste et de centralisateur. Lui et ses lieutenants optaient pour un Ottawa puissant. C'est à ce sujet que, dans *The Unguarded Frontier*, Edgar W. McInnis [1] a souligné avec à-propos « the centralizing nature of the forces behind Confederation ».

Conscient, lui aussi, du péril américain, Georges-Étienne Cartier se rendait compte de la nécessité de militer, par le truchement d'un puissant gouvernement central, contre la force d'attraction des États-Unis. Mais avec autant de vigueur, il réclamait, pour chaque province et notamment pour le Québec ou Bas-Canada, la création d'un gouvernement provincial où les Québécois seraient maîtres de leur destinée. Aux yeux de la postérité, Cartier pourrait donc passer pour un provincialiste, un régionaliste, un décentralisateur.

---

[1] *The Unguarded Frontier*, New-York, Doubleday, 1942, p. 253.

Dès 1865 — donc deux ans avant la Confédération — Macdonald, partisan d'une union législative, c'est-à-dire d'un État unitaire et d'un seul Parlement, ouvrit là-dessus son cœur à ses collègues. Après mûre délibération, il renonça à son projet pour les raisons que voici :

> In the first place, it [c'est-à-dire l'union législative] would not meet the assent of the people of Lower Canada. [...] It was found that any proposition which involved the absorption of the individuality of Lower Canada — if I may use the expression — would not be received with favor by the people.

Ce paragraphe — et combien d'autres tout aussi lumineux — se trouvent dans le plus récent ouvrage de Stanley B. Ryerson [2].

On a bien noté la formule de Macdonald : « The absorption of the individuality of Lower Canada », c'est-à-dire la fusion du Canada français dans le creuset anglo-canadien. Voilà ce à quoi le Canada français ne consentirait jamais ni en 1760, ni en 1867... ni en 1972.

Ce qui revient à dire que, même avant la Confédération, le Québec n'était pas une province comme les autres. En 1865, le perspicace Macdonald s'en aperçut et se conduisit en conséquence.

En 1866, quelques délégués canadiens se réunirent à Londres pour poser les fondements de la Confédération. Macdonald et Cartier faisaient partie de la délégation.

Or ces préparatifs échappèrent de justesse à un échec total. À la dernière minute, Macdonald réclama l'union législative des quatre provinces. Cartier s'y opposa avec énergie, plus convaincu que jamais qu'il fallait, pour le Canada de 1867, une union non pas législative mais fédérative.

---

2 *Unequal Union*, Progress Books, 1968, p. 364.

Passons ici la parole à trois historiens anglophones :
George M. Weir [3], Stanley B. Ryerson [4], Mason Wade [5].

> Quebec determined the federal character of the Constitution
> (Weir).

> When the Canadian delegates were in London [1866] there
> is considerable evidence that Macdonald made a last-minute
> attempt to change the scheme to one of legislative union : an
> attempt from which he desisted only when Cartier, fully cons-
> cious of the sentiment in Quebec, threatened to return to
> Canada and take the issue to the people (Ryerson).

> It was Cartier, as the spokeman of French-Canadian parti-
> cularism, who determined the initial decision that the union
> should take a federal rather than a legislative form (Wade).

Donc, avant 1867, s'affrontaient un Canada anglais centralisateur, unitaire et un Canada français décentralisateur
et farouche partisan d'une autonomie provinciale [6].

Afin de rendre viable cette Confédération alors au ber-
ceau, Macdonald céda à la nécessité de reconnaître — par
ses paroles tout au moins — « l'individualité » du Bas-
Canada. Cette « individualité » plongeait de profondes racines dans « la langue, la nationalité, la religion » des Canadiens français.

Macdonald, centralisateur et fédéraliste convaincu, baissa
pavillon devant Cartier. Il renonça à son union législative
et accepta le projet confédératif de Cartier.

Mais le madré compère qu'était John A. Macdonald
n'en caressait pas moins l'espérance qu'un jour — jour

---

[3] *The Separate School Question in Canada,* p. 30.
[4] *French Canada,* p. 66.
[5] *The French Canadians,* p. 309.
[6] Voilà, en gros, la situation dans le Canada préconfédératif. Il
reste toutefois que les Canadiens anglais ont toujours compté dans
leurs rangs quelques défenseurs de l'autonomie provinciale. Ceux qui
désireraient obtenir là-dessus de plus amples précisions sont priés de
lire l'importante page 28 de *Canada and the French-Canadian
Question,* de Ramsay Cook.

lointain sans doute — se réaliserait son grand rêve d'un puissant État unitaire au Canada. Dans son récent ouvrage, Stanley B. Ryerson [7] a exhumé une très importante lettre que Macdonald adressa, en décembre 1864, à son ami Malcolm Cameron :

> If the Confederation goes on, you [...] will see both the local parliaments and governments absorbed in the federal power. This is as plain to me as if I saw it accomplished.

Vision vraiment prophétique : aujourd'hui toutes les municipalités, tous les gouvernements provinciaux crient famine alors que le gouvernement fédéral tient tous les principaux cordons de la bourse.

Après plus d'un siècle de vie confédérale, la même opposition se manifeste entre les deux peuples fondateurs du Canada, entre le peuple anglophone centralisateur et le peuple francophone décentralisateur.

Ce sont bien là deux constantes dans l'histoire politique de notre pays. Le Québec, une province comme les autres ? Soutenir une pareille thèse n'équivaut-il pas à une déformation de l'histoire du Canada et à une démission de l'intelligence ?

*   *   *

« Le pire dérèglement de l'esprit, a écrit Bossuet, c'est de voir les choses non pas telles qu'elles sont mais telles qu'on voudrait qu'elles soient. »

Au Canada, les fédéralistes intempérants voient le Québec non pas tel qu'il est, mais tel qu'eux voudraient qu'il soit.

En règle générale, les premiers ministres du Québec, premiers ministres libéraux ou conservateurs, depuis Ho-

---

[7] *Unequal Union*, Progress Book, p. 37.

noré Mercier jusqu'à Jean-Jacques Bertrand, sans oublier
les plus célèbres d'entre eux, Alexandre Taschereau, Lomer
Gouin, Maurice Duplessis, Jean Lesage, Paul Sauvé, tous
ces chefs ont protesté chaque fois que le gouvernement
d'Ottawa a outrepassé ses pouvoirs ou menacé de le faire
au grand dam d'une juridiction dont le Québec se croit
investi depuis 1867. Défenseurs de l'autonomie provinciale,
ces chefs politiques l'ont été dans la bonne comme dans
la mauvaise saison. La pire saison fut bien celle où Maurice Duplessis, seul ou presque seul parmi les dix premiers
ministres provinciaux, tenta de pourfendre l'hydre centralisateur alors omnipotent à Ottawa.

Tous ces chefs ont bataillé ferme pour défendre et maintenir l'individualité — comme eût dit John A. Macdonald
— du Québec.

*   *   *

J'appelle fédéralistes ultras tous ceux qui tiennent le
Québec pour une province comme les autres. Parmi eux
figurent, hélas ! quelques Canadiens français de haute volée.
Ce sont des exceptions qui confirment la règle générale.

L'un d'entre eux répond au nom de Louis Saint-Laurent.

On se souvient de son retentissant discours où il osa déclarer que le Québec, à son sentiment tout au moins, était
une province comme les autres. L'aveu est consigné dans
deux livres récents.

Bruce Hutchison [8] commente ainsi la désormais célèbre
déclaration :

---

[8] *Macdonald to Pearson,* 1967, p. 168.
   Many French Canadians were appalled and hurt by a ferocity
   never seen in St. Laurent before, but the Reform Club speech
   had made him a hero in English-speaking Canada.

Quant à Dale C. Thomson [9], biographe et ami de Louis Saint-Laurent, il se garde bien de passer sous silence la verte mercuriale que Maurice Duplessis servit bientôt, en cette triste conjoncture, au fédéraliste impénitent. L'auteur a traduit en anglais cette manière d'algarade prononcée en français :

> When he Duplessis heard St-Laurent, "a compatriot, a man from the province of Quebec, raised in the province of Quebec, coddled by the province of Quebec, a man who has had all the advantages of living with the population of Quebec" declare that all the provinces were similar, he found that statement "painful", "distressing" and "seriously pathetic". No English politician had ever dared to make such a statement, the Union Nationale leader remarked ; "it had to be a compatriot who proclaimed something as contrary to the facts as to the law". Quebec could never accept that position.

On peut porter au passif de Maurice Duplessis beaucoup d'actions et de décisions répréhensibles ; mais eût-il prononcé, au cours de sa carrière, seulement ces propos que déjà il mériterait la reconnaissance émue de la postérité canadienne-française.

*   *   *

Avant de quitter le passé pour aborder l'histoire contemporaine, il ne serait pas inopportun de s'appesantir sur un incident qui faillit compromettre la Confédération encore dans ses langes.

Peu de mois après la naissance de la Confédération, le besoin se fit sentir, en hauts lieux, de récompenser les principaux artisans d'une pareille réalisation. Lord Monck, gouverneur général du Canada, et le Bureau des Colonies, à Londres, dressèrent un palmarès où figuraient d'abord, comme on le pense bien, les noms de John A. Macdonald

---

9 *Louis St. Laurent — Canadian,* Toronto, 1967, p. 380.

et de Georges-Étienne Cartier. Avec la haute approbation de la reine Victoria, Macdonald fut créé « Knight Commander of the Bath », c'est-à-dire commandeur de l'Ordre du Bain ; Cartier devint « Commander of the Bath », c'est-à-dire compagnon du même ordre.

Donc Macdonald seul arborerait la particule *sir* devant son nom. Seul il était *siré*, comme disent encore nos gens. Sir John A. Macdonald, d'une part ; et d'autre part, Georges-Étienne Cartier tout simplement, sans particule.

De prime abord, il semblerait difficile de protester là-contre. Macdonald, premier ministre, ne méritait-il pas une plus haute distinction que Cartier, simple ministre ? Ainsi raisonnerait l'observateur superficiel qui connaît peu ou prou les réalités canadiennes.

Toujours est-il que Cartier ne l'entendit pas de cette oreille-là. Il entra en une sacrée colère, la pire de toute sa vie politique. Il refusa la distinction. Il repoussa ce qu'il estimait être une offense, sinon une injure faite à lui et à sa province.

Cette inégalité de traitement a soulevé l'ire de l'historien anglophone O.D. Skelton [10].

Au sentiment de Skelton, les Québécois avaient tenu cette inégalité de traitement pour un manque de courtoisie, une humiliation à l'endroit de leur province.

Charles Tupper, ancien premier ministre de la Nouvelle-Écosse, lui aussi artisan de la Confédération, obtint alors, comme Cartier, la distinction de compagnon de l'Ordre du Bain. Il l'accepta sans protester.

> The discrimination was especially stupid in the case of Cartier, since the inferior distinction was taken by his fellow citizens from Quebec as a slight upon his province and his race.

---

[10] *The Life and Times of Sir A. T. Galt,* Toronto, 1920, p. 200.

Le Québec, province comme les autres ? Quand donc cessera-t-on là-dessus de nous raconter des balivernes ?

Le piquant de l'affaire, c'est que la thèse de Cartier finit par triompher à Londres même. Le Bureau des Colonies rendit justice à Cartier qui fut bientôt créé baronnet du Royaume-Uni, distinction supérieure à celle de Macdonald. Lui aussi devint alors un *sir* : sir Georges-Étienne Cartier comme son ami sir John A. Macdonald. Comme quoi, en cette conjoncture, ni la première, ni la dernière de son espèce, Cartier fut le porte-parole de tout un peuple et notamment d'un Québec « province pas comme les autres ».

*   *   *

Passons maintenant au Canada d'aujourd'hui. Les plus belles pièces contemporaines à l'appui de la thèse du Québec, « province pas comme les autres », se trouvent dans deux retentissantes déclarations faites, en 1964, par d'éminents Anglo-Canadiens.

Le 20 mai 1964, au cours d'une allocution qu'il prononça devant les membres du *Third Commonwealth Education Conference*, Vincent Massey, gouverneur général du Canada, ne crut nullement manquer à la vérité en disant :

> Quebec is the home of French culture in North America and so it its more than just one of our ten provinces.

Trois mois plus tard, le 22 août 1964, l'*Ottawa Journal* monta en épingle cette déclaration et la commenta favorablement, dans un éditorial.

Le 6 janvier 1964, Lester B. Pearson, alors premier ministre du Canada, éparpilla aux quatre vents de la publicité, du haut de sa tribune, une assertion catégorique. Même si elle est aujourd'hui exilée au pays des lunes éteintes, elle n'en conserve pas moins toute son actualité. La voici dans toute son ingénuité et son originelle candeur :

> We must recognize that Quebec, in some vital respect, is not a province like the others but the homeland of a people.

Ce qui est l'évidence même.

Sur cette question capitale, reconnaissons en toute objectivité et en toute franchise que la position de Lester B. Pearson était alors aux antipodes de celle de son prédécesseur, Louis Saint-Laurent, et de son successeur, Pierre-Elliott Trudeau.

Deux éminents Anglo-Canadiens, Vincent Massey et Lester B. Pearson, admettaient d'emblée l'existence d'un Québec, province pas comme les autres, tandis que deux éminents Canadiens français, Louis Saint-Laurent et Pierre-Elliott Trudeau, se déclaraient farouches partisans d'un Québec, province comme les autres.

Quel contraste ! Contraste douloureux ! Notre histoire, hélas ! en est toute tissée.

* * *

Chaque année, il y a la saison des cerises, la saison de la chasse, la saison des pluies.

Chaque fois qu'un Canadien français devient premier ministre du Canada s'ouvre pour ses compatriotes de langue française la saison des pilules amères.

« Laurier had induced Quebec to swallow twice : in 1896 and again in 1899. »

Qui a énoncé cette vérité ? Nul autre que Walter Scott, premier ministre de la Saskatchewan en 1905. On cueille le renseignement dans un ouvrage du professeur O.D. Skelton [11].

---

[11] *Life and Letters of Sir Wilfrid Laurier*, II, p. 234.

C'est avec la question des écoles séparées du Manitoba que Laurier fit avaler sa première pilule amère aux Canadiens français. Croyons-en là-dessus Bruce Hutchison [12] qui a écrit :

> As a national leader, Laurier had settled the Manitoba School Question in favor of English-speaking Protestants against the will of ·the Catholic Church.

En 1899 l'Angleterre déclara la guerre aux Boers de l'Afrique du Sud. Guerre qui encourut la réprobation du monde civilisé, comme l'a noté Arthur Lower, historien réputé et ancien professeur en chef d'histoire canadienne à l'Université Queen's à Kingston, en Ontario.

Essayer de transformer l'apathie, voire l'hostilité des Canadiens français de 1899, en une participation officielle du Canada à la guerre sud-africaine, c'était imposer de vive force, à un patient récalcitrant, une pilule dont il n'oublierait pas de sitôt l'amertume.

Les événements contraignirent Laurier à faire avaler cette pilule à ses compatriotes de langue française.

Louis Saint-Laurent administra, lui aussi, aux Canadiens français une pilule amère.

Mackenzie King l'invita à entrer dans son cabinet parce qu'il avait besoin d'un lieutenant pour imposer au Québec la conscription. Conscription mitigée, hypocrite mais conscription quand même. Conscription exécrable et exécrée dans tout le Canada français.

Devenu premier ministre, Louis Saint-Laurent se révéla centralisateur de haute volée, au grand dam de l'autonomie québécoise. Sans l'opposition de Maurice Duplessis, le Québec se fût ratatiné et eût pris figure de « muni-

---

[12] *The Struggle for the Border*, p. 446.

cipalité boursouflée », de « glorified municipality » selon l'expression des Anglo-Canadiens.

S'il n'en eût tenu qu'à Louis Saint-Laurent, il eût fait avaler à ses compatriotes une autre pilule amère : la présence de l'Union Jack sur le nouveau drapeau du Canada. À son sentiment, un nouveau drapeau canadien dépourvu de l'Union Jack était « impensable » ! On trouve ce renseignement significatif dans l'ouvrage de Dale C. Thomson [13] :

> St-Laurent endorsed a recent statement by the Prime Minister that it was unthinkable for a Canadian Flag not to contain the Union Jack.

* * *

On a deviné le genre de pilule amère que Pierre-Elliott Trudeau veut administrer au Québec : la pilule du Québec « province comme les autres ». Pilule probablement la plus dangereuse de toutes celles que le patient récalcitrant a avalées depuis plus d'un siècle.

Ici je veux rendre à Pierre-Elliott Trudeau une élémentaire justice.

Lors de la guerre sud-africaine, O.D. Skelton [14] avait fait observer, avec pertinence, que « Quebec must provide all the sacrifices on the altar of Harmony ». Et le biographe de sir Wilfrid Laurier de stigmatiser l'intolérance des protestants de cette époque « who were willing to accept privileges for a Protestant minority in Quebec, privileges always honourably preserved, but who were unwilling to carry out their share of compromise when a Catholic minority was involved ».

En d'autres termes, du temps de Laurier, les pilules amères furent avalées par le Canada français ; le Canada

---

[13] *Louis St. Laurent — Canadian*, p. 177.
[14] *Life and Letters of Sir W. Laurier*, II, p. 234.

anglais les esquiva toutes. Le même phénomène se produisit à l'époque de Louis Saint-Laurent : le Canada français dut ouvrir la bouche, et bon gré mal gré, introduire dans son organisme la pilule toujours amère de la conscription pour le service d'outre-mer.

Pour la première fois depuis la conquête, Pierre-Elliott Trudeau a su innover dans ce domaine comme en beaucoup d'autres. Au Canada anglais comme au Québec, il a voulu administrer une pilule : au Québec, la pilule du « Québec, province comme les autres » ; au Canada anglais, la pilule du bilinguisme et du biculturalisme.

Incontestable nouveauté, la première du genre depuis cent ans de vie confédérative. Pour la première fois, on ne demande pas aux seuls Canadiens français de faire des sacrifices pour maintenir l'unité dite nationale.

La revanche est douce pour les Canadiens français vivant en dehors du Québec. Eux qui, depuis un demi-siècle, trois quarts de siècle et même un siècle, ont subi une manière de génocide culturel, voici qu'ils se reprennent à espérer. À qui mieux mieux, ils adressent félicitations et remerciements à leur présumé sauveur : Pierre-Elliott Trudeau. Déjà, comme le loup de la fable, ils se forgent une félicité qui les fait pleurer de tendresse.

Mais les choses n'arrivent quasi jamais comme on se les imagine. Un Canada bilingue et biculturel « from coast to coast » ? Si ce n'était là qu'un rêve, un beau rêve, certes, mais un rêve qui jamais ne se transformera en une rayonnante réalité ? Car, encore une fois, il faut voir les choses telles qu'elles sont et non pas telles qu'on voudrait qu'elles soient.

Pour les fins de notre discussion, on me permettra de faire une supposition gratuite. Je suppose donc que la moitié de notre pays, de Terre-Neuve à Winnipeg, accepte en théorie comme en fait le principe du bilinguisme et du biculturalisme. L'autre moitié, de Winnipeg à Victoria, en fera-t-elle autant ?

Peu de Canadiens se posent cette question sans angoisse. Et comment ne pas partager cette angoisse quand on connaît l'histoire passée et présente de l'Ouest canadien ?

En premier lieu, l'Ouest canadien depuis qu'il existe, et notamment de 1890 jusqu'à nos jours, a été le château fort du fanatisme anglo-canadien et de l'orangisme exacerbé. Fanatiques et orangistes ont déjà dit non à la pilule que veut bien leur prescrire bénévolement Pierre-Elliott Trudeau.

En second lieu, l'Ouest canadien compte parmi ses habitants un nombre considérable de gens venus des États-Unis. Anciens Américains, ils ont toujours été et ils demeurent partisans du « melting pot », du creuset américain où se fusionnent, aux États-Unis, tant de peuples venus des quatre coins de l'horizon. Eux aussi craignent comme la peste la pilule du docteur Trudeau.

Enfin un troisième facteur qui milite puissamment contre nous : la présence au Manitoba, en Saskatchewan et en Alberta d'un groupe de Nouveaux Canadiens en provenance de l'Europe centrale et au premier rang desquels figurent, surtout à Winnipeg, les Ukrainiens.

À ces Nouveaux Canadiens, Vincent Massey a donné un avertissement qui vaut son pesant d'or. Au cours d'une conférence qu'il prononça à Charlottetown, le 1er juin 1964, le gouverneur général du Canada fit entendre des paroles qui devraient être reproduites en lettres pourpres sur les murs de tous les centres culturels où se rencontrent les Nouveaux Canadiens. Je vous livre ces propos dans toute leur fraîcheur et leur verdeur :

> It must be remembered that more than a quarter of our population comes of neither French nor British stock. We welcome the cultures which these people have brought with them ; we value the rich contribution they make to our national life. We, however, have two founding races, French and English in origin, their languages and cultures having a special and permanent place in the national scene. That is an historical fact, not a political judgment.

« The French-Canadian minorities are not minorities like the others » : phrase que Ramsay Cook [15] a frappée en médaille. Sans vergogne aucune, les Ukrainiens, pour la plupart, clabaudent contre cet énoncé pourtant marqué au coin de l'honnêteté et du bon sens. Selon ces extrémistes, toutes les minorités se valent.

Ils osent même soutenir sans sourciller que, dans l'Ouest, les Ukrainiens, plus nombreux que les Canadiens français, revêtent une importance plus grande que les francophones. Accorder à ces derniers des écoles pour l'épanouissement de leur culture et refuser de semblables écoles aux Nouveaux Canadiens serait donc, au sentiment de ces bons apôtres, pratiquer une politique de discrimination et donner un coup de sape à l'unité nationale.

Comme il avait raison, le regretté et perspicace Armand Lavergne, de protester avec véhémence, il y a plus d'un demi-siècle, contre cette décision fédérale de placer, dans la région des Prairies, les fils du sol et les nouveaux venus sur un pied d'égalité. Ramsay Cook [16] a traduit en anglais ce texte capital :

---

[15] *Canada and the French-Canadian Question*, p. 24.
[16] *Canada and the French-Canadian Question*, Toronto, 1966, p. 35.

In constituting the French Canadian, who has lived in the
country since its discovery, the equal in rights and privileges
to the Doukobor or the Galician who has just disembarked, we
have opened between the Eastern and Western sections of Canada a gulf that nothing will be able to close.

À de graves divergences d'intérêts économiques qui ont
toujours séparé et séparent encore l'Est et l'Ouest de notre
pays, faudra-t-il ajouter désormais, sur le plan gouverne-
mental, un désaccord racial entre anglophones et francophones ? L'unité dite nationale ne connaîtrait-elle pas alors
sa crise par excellence, son péril suprême ?

Bref, il n'est pas impossible que l'Ouest canadien rejette
avec dégoût et horreur, la pilule qui lui est aujourd'hui
prescrite.

En 1867, les Canadiens français ont cru entrer dans la
Confédération sur un pied d'égalité avec les Canadiens
anglais. Ils se sont lamentablement trompés : à certains
égards, la Confédération a été pour eux — et notamment
pour les minorités françaises — un marché de dupes.

Aujourd'hui, un autre marché de dupes ne se profile-t-il
pas à l'horizon du ciel canadien ? Car c'en serait bel et
bien un si le Québec acceptait, même en rechignant, sa
pilule, alors que l'Ouest canadien rejetterait la sienne.

Nous autres, Canadiens français, être les dindons de la
farce pendant le premier siècle de notre vie confédérative,
passe encore ! Mais entreprendre un deuxième siècle dans
la même posture, ce serait vraiment trop demander à un
peuple fier de son passé, mécontent du présent et soucieux
de sa langue, de sa culture et de sa liberté.

Conclusions ? De propos délibéré, je me limite à l'une
d'entre elles, la première dans l'ordre chronologique tout
au moins.

Que notre mot d'ordre soit donc : De la vigilance ! Encore de la vigilance ! Toujours de la vigilance !

Et n'oublions jamais que, loin d'être façonné par les astres, le destin des peuples se forge courageusement, d'un jour à l'autre, par la volonté des hommes avec le secours de la Providence.

Table des Matières

Pages

Remerciements 9

LE RÉGIME FRANÇAIS

L'héroïsme des martyrs canadiens 15
Découvreurs, colonisateurs, guerriers, preux 16
Défaites plus glorieuses que des victoires 16
Fondements d'un immense empire 17
« Laura Secord and her cow » 18
« The resistance of the few to the many » 18
La gloire de la France à son zénith 19
« New France had given a good account of herself » 19

LE RÉGIME ANGLAIS

Conquête ou cession 22

I. — LA CONQUÊTE, MALHEUR DU CANADA FRANÇAIS

Peuple minoritaire 23
Le Canadien français dépourvu d'esprit pratique? 23
Les familles de capitalistes anglophones 24
Surabondance d'hommes de profession libérale 25
Obsession de la survivance 25
Période de stagnation en éducation 26
Le clergé et l'éducation sous le régime français 26
« Pour une fois seulement » 28
L'Institution royale (1801) et les anglicans 28
Les Plessis, les Lartigue, les Panet, *defensores civitatis* 29
« The English-speaking minority chiefly responsible » 30
Rattrapage du temps perdu 31

II. — LE RÉGIME MILITAIRE (1760-1763)

Excellentes relations entre « Habits rouges »
    et Canadiens 33
L'intérêt explique ce comportement 33
« The most useful and faithful set of men » 34

Pages

III. — LA PROCLAMATION ROYALE DE 1763

Adoption d'une politique « cruelle » 35
Échec retentissant 36
« If British statesmen had treated Canada as Ireland » 36
Gigantesque volte-face 37

IV. — L'ACTE DE QUÉBEC (1774)

Concession magnanime ou intéressée? 38
Thèse de la générosité 38
L'abbé Plessis et sa célèbre apostrophe : *Généreuse Nation* 40
Carleton, auteur de l'Acte de Québec 40
« A masterly conception » 41
« It was the shadow of the American Revolution » 42
« England's difficulties are Ireland's opportunities » 44

V. — L'ACTE DE QUÉBEC ET L'ÉPISCOPAT QUÉBÉCOIS

Trône protestant et Autel catholique 45
« The Church could pay back with usury » 46
Premier mandement de Mgr Briand en 1775 46
Les « habitants » et Washington 47
La neutralité des « habitants » 48
« Their fathers, brothers, lovers, husbands and sons » 48
Empêcher la levée *en masse* des « habitants » 49
Mgr Briand et le « priest ridden Quebec » 50
L'Acte de Québec et le séparatisme québécois 52
Londres et le séparatisme 52
Les Anglo-Canadiens et le séparatisme 52
Les *United Empire Loyalists* et les Canadiens français 53

VI. — LA GUERRE DE 1812

« Keeping Canada British in 1775 and 1812 » 55
Mgr Plessis et l'active collaboration des Canadiens 55
Le « surintendant de l'Église romaine » 57
« They gave the lie to the accusation that they
were traitors » 57
Victoire de Brock et du colonel de Salaberry 58
Québec, clef du Canada 59
« The Maple Leaf for ever » 59
Péché d'omission de Donald Creighton 61
« Red George » Macdonnell 62
La première statue de bronze coulée au Canada 63

Pages

VII. — ENTRE 1775 ET 1812

La situation en 1778 64
« France had more soldiers than Britain » 64
La voix du sang 65
« Les Français libres à leurs frères du Canada » 67
Importance du rôle de l'épiscopat québécois 68

VIII. — L'ACTE CONSTITUTIONNEL DE 1791

Les anglophones et le gouvernement représentatif 71
Gouvernement représentatif mais non pas responsable 72
« Family Compact » et « Clique du Château » 72
L'insurrection de 1837 et l'épiscopat québécois 73
Papineau et ses « Patriotes » 73
L'anticléricalisme canadien-français:
    « surprising phenomenon » 74
L'intervention de l'épiscopat: ingérence politique? 75
L'épiscopat et l'échec de l'insurrection 76
Le cléricalisme québécois et les anglo-protestants 76
« The Rebellions, blessings in disguise » 78

IX. — L'ACTE D'UNION (1840)

« Pulvériser la nationalité canadienne-française » 80
L'Acte d'Union et le professeur A.L. Burt 80
L'année 1845 et la pire catastrophe du Canada français 82
Le « Rep. by Pop. » de George Brown 82

X. — LA DOMINATION CANADIENNE-FRANÇAISE, OBSESSION DU CANADA ANGLAIS

Union du cavalier et du cheval 83
Les 75.000 Canadiens et les 200 Anglais 84
L'immigration britannique 84
La Chambre d'Assemblée de 1791,
    cinquième roue sous une voiture 85
« Overwhelm and sink the Canadian population » 86
Majorité anglophone fictive dans un Canada français
    majoritaire 86
Les 450.000 Anglo-Canadiens et les
    650.000 Franco-Canadiens 87
La « British American League » de 1849 88
« Within two or three days » 90
« Forty-nine equals thirty-seven » 91

Pages

Le Canada anglais majoritaire vers 1850 92
Le « Rep. by Pop. » de George Brown 92
La Confédération et le triomphe du « Rep. by Pop. » 93
« French Canadianism entirely extinguished » 93

XI. — LE PACTE FÉDÉRATIF DE 1867

Le pacte entre deux peuples 95
Le point de vue juridique et le point de vue historique 96
Le rôle de Georges-Étienne Cartier 97
Opinion de Pierre-Elliott Trudeau 99
Les minorités et la question scolaire 99
Les écoles séparées ou dissidentes, l'épiscopat québécois
    et les Anglo-protestants du Québec 100
« The introduction of the element of Separatism » 101
L'article 93 de l'Acte de l'Amérique du Nord britannique 103
Le droit d'appel à une majorité
    « of their own race and creed » 103
Le compromis scolaire, clef de voûte de la Confédération 104
Situation scolaire des Anglo-protestants du Québec
    avant 1867 106
Mot d'ordre de la minorité catholique de l'Ontario 107
Mot d'ordre lancé dès 1852 par Mgr de Charbonnel 108
L'authentique essence du pacte fédératif 114
« Separate everything » 115
Magnanimité québécoise et intolérance ontarienne 116
Les deux reculades de John A. Macdonald 117
Les impôts scolaires versés par les « corporations » 118
Le « blemish » de la « banner province of Canada » 122
La solution heureuse du Québec 123
L'aveu de l'honorable John Robarts 124
Deux systèmes d'écoles coûtent-ils plus cher qu'un seul? 125
L'unité de langue et l'unité dite nationale 128
Sans Cartier nulle confédération n'eût été possible 130
Sans la collaboration de l'épiscopat québécois,
    Cartier eût subi un échec 132
C'est l'épiscopat québécois qui rendit possible
    la Confédération 132
La Confédération et les « Lower Canadian slaves » 134
Le rôle de l'épiscopat québécois et les Anglo-Canadiens 135
« Confederation obliterated the Conquest » 136
Déclaration de sir John A. Macdonald 137
« Quebec has sustained proportionate loss power » 138
La patrie véritable du Canadien français 138
« They have created an Austria-Hungary » 140

L'Ouest canadien et Louis Riel 140
Sir John A. Macdonald et Mgr Taché 142
Gloire de Louis Riel 144
Nos vrais grands hommes 145

XII. — L'IMPÉRIALISME ANGLO-SAXON AU CANADA

Les Anglo-Saxons et leurs « crusades for righteousness » 147
La guerre sud-africaine et le professeur Arthur Lower 148
L'impérialisme anglo-saxon et Joseph Chamberlain 150
Impérialistes et orangistes 150
La race supérieure 151
Le fanatisme anglo-canadien et lord Minto 152
Sir John A. Macdonald et la guerre du Soudan (1884) 153
Sir Wilfrid Laurier finit par céder
    à la frénésie impérialiste 153
« Quebec must provide all the sacrifices » 155
La première guerre mondiale et la voix du sang 156
La francophobie de sir Sam Hughes 156
Sir Robert Borden et sir Sam Hughes 158
Le compromis de Laurier 160
Aversion systématique des Canadiens français
    pour la conscription 160
La première guerre mondiale et Mgr Bruchési 160
Le service national 162
Les cinq lettres de Mgr Bruchési 163
Immixtion du clergé protestant dans la politique 164
Les Canadiens français, des traîtres et des lâches? 166
« To excuse one's self and accuse others » 169
« Hora et potestas tenebrarum » pour Laurier 169
Bourassa et Borden contre Laurier 170
« While this dark witches' brew was maturing » 171
Laurier, suppôt du Kaiser! 172
« A mistake for a French Catholic to accept leadership » 175
La deuxième guerre mondiale et le manquement
    à la parole donnée 177
Le cardinal Villeneuve et son loyalisme britannique 178
Les chefs spirituels du Québec et leur choix
    du moindre mal 181

XIII. — LE QUÉBEC, PROVINCE COMME LES AUTRES?

Le Québec n'est pas une province comme les autres 183
Langue française, religion catholique
    et Code de Napoléon 183
Faits divers 184

Pages

Le Québec n'a jamais été une province comme les autres   185
Le centralisateur (Macdonald) et le
    décentralisateur (Cartier)   185
« Quebec determined the federal character of the
    Constitution »   187
Macdonald baissa pavillon devant Cartier   187
Les chefs du Québec et l'autonomie provinciale   188
Les fédéralistes ultras   189
Louis Saint-Laurent   189
Sir John A. Macdonald et Georges-Étienne Cartier   190
« The discrimination was especially stupid »   191
« Quebec, the home of French Culture in North America »   192
« Quebec, the homeland of a people »   193
La saison des pilules amènes   193
« Laurier had induced Quebec to swallow twice »   193
Louis Saint-Laurent, centralisateur de haute volée   194
La pilule du Québec, province comme les autres   195
La pilule du Canada anglais: bilinguisme
    et biculturalisme   196
L'Ouest canadien et le fanatisme   197
Vincent Massey et les Nouveaux Canadiens   197
Les Ukrainiens   198
Un autre marché de dupes?   199

Achevé d'imprimer sur les presses de

Ateliers des Sourds (Montréal) inc.

En octobre 1972